SEREN WIB

a straeon eraill

Gyda diolch i Tegwen Llwyd, Ceris Mair James
a Bethan Ellis am eu sylwadau gwerthfawr

Argraffiad cyntaf: 2018
© Hawlfraint Y Lolfa Cyf. a'r awduron unigol, 2018

Cynllun y clawr: Sion Ilar

Rhif Llyfr Rhyngwladol: 978 1 78461 575 8

Ariennir yn rhannol gan Lywodraeth Cymru
fel rhan o'i rhaglen gomisiynu adnoddau addysgu
a dysgu Cymraeg a dwyieithog.

Cyhoeddwyd ac argraffwyd yng Nghymru
ar bapur o goedwigoedd cynaliadwy gan
Y Lolfa Cyf., Talybont, Ceredigion SY24 5HE
e-bost ylolfa@ylolfa.com
gwefan www.ylolfa.com
ffôn 01970 832 304
ffacs 01970 832 782

Cynnwys

Cyflwyniad

Caryl Lewis

"**B**WYTA DY FROCOLI!"
"Rho dy ddillad brwnt yn y fasged olchi!"
"Cer i ddarllen y llyfr 'na!"

Mae gan ddarllen broblem. Mae darllen yn cael ei weld fel un o'r pethau sy'n dda i ti, fel mynd i'r gwely yn gynnar neu olchi dy ddannedd. Ond does dim rhaid i ddarllen fod yn dda i ti o gwbwl! Gall e fod yn ddrwg iawn i ti! Gall e dy gadw di ar ddi-hun yn y nos yn ysu am gael gwybod beth sy'n digwydd nesa. Gall e dy dywys di i wledydd pell pan wyt ti i fod i ganolbwyntio ar dy waith cartref. Gall e dy ddysgu am sut mae pobol ddrwg iawn yn ymddwyn ac yn gweld y byd!

Dwi'n meddwl y dylai darllen gael ei ystyried yr un peth â siocled neu felysion. Ddim fel rhywbeth sy'n mynd i wneud lles i ti, ond fel rhywbeth i edrych ymlaen ato! Wrth agor llyfr, dwi'n gwybod fy mod yn mynd i gael trît. Dwi'n medru ogleuo'r stori, teimlo'r dŵr yn dod i'r dannedd. A dwi'n gwybod fy mod yn mynd i neidio i mewn a cholli fy hun am oriau. Dwi'n gwybod bod y llyfr yn mynd i sbarduno fy synhwyrau a dwi'n gwybod, pan fydda i wedi gorffen, y bydda i'n teimlo'n dda.

Dwi'n cuddio'r llyfrau dwi eisiau eu darllen yn y tŷ, yn union fel dwi'n cuddio siocledi. Ac yna, pan dwi angen rhyw hoe fach, neu ddiflannu i fyd arall, neu angen rhywbeth i godi fy nghalon, dwi'n mynd i nôl un a'i agor. Ac mae fy hoff lyfrau yn rhai peryglus, yn rhai sy'n gwthio'r ffordd dwi'n meddwl am bethau. Maen nhw'n rhai tywyll ac yn rhai drygionus. Maen nhw'n ddoniol ac yn haerllug. A dwi bron yn hollol siŵr erbyn hyn fod darllen ddim yn dda i ti o gwbwl! Ond fel gyda siocledi, mae'n anodd dweud na, on'd yw hi?!

Perthyn

Gwennan Evans

D YDW I DDIM yn tueddu i siarad lot am Taid. Ddim gyda fy ffrindiau yn yr ysgol, ta beth.

Yn y tŷ, allwch chi ddim ei anwybyddu. Mae'r sedd lle mae'n treulio'r rhan fwyaf o'i amser yn union o flaen y teledu ac mae ei dabledi a'i bapurau a'i betheuach yn gwneud i'r lle edrych yn anniben o hyd. Mae gofalwraig yn galw ddwywaith y dydd, i helpu Mam i'w godi yn y bore a'i hebrwng 'nôl i'r parlwr yn y nos. Dyw Taid ddim yn gallu dod lan staer, a dyna ble dwi'n treulio'r rhan fwyaf o fy amser.

Rydw i *yn* hoffi Taid, wir, ond dyw ei olwg na'i glyw e ddim yn dda iawn, a dwi'n credu 'mod i'n mynd ar ei nerfau e.

Mae Ffion, fy chwaer, yn fwy amyneddgar na fi, ond mae hi'n ei gofio fe cyn iddo fynd yn hen. Roedd e'n arfer dod i aros gyda ni am noson neu ddwy, mae'n debyg, a mynd â hi a fi am wâc i'r parc i fwydo'r hwyaid. Fe fydd ganddo hiraeth mawr ar ei hôl pan fydd hi'n mynd i'r coleg.

Roedd Mam a Dad a Ffion mewn Diwrnod Agored ym Mhrifysgol Bangor y dydd Sadwrn hwnnw. Byddai Taid wedi bod wrth ei fodd pe bai'n sylweddoli bod Ffion yn awyddus i fynd i Fangor achos roedd e wastad yn ceisio'n troi ni'n Gogs, fel fe. Cefais fy neffro gan sŵn Dad yn dyrnu drws fy ystafell am chwarter i saith i rybuddio eu bod nhw ar fin gadael. Codais yn gyndyn a gweld drwy'r ffenest fod Mam yn eistedd yn y car yn ei dillad gorau. Doedd hi ddim fel arfer yn gallu mynd i unman ers i Taid ddod aton ni i fyw.

Cerddais i lawr y staer ac roedd Taid wedi codi, molchi, gwisgo a bwyta'i frecwast ac erbyn hyn roedd e'n pendwmpian i gyfeiliant sitcom Americanaidd na fyddai o ddim diddordeb iddo. Diffoddais y sŵn a dychwelyd i fy ngwely; gallai Taid weiddi pe bai angen rhywbeth.

Erbyn canol y prynhawn, ro'n i wedi diflasu'n llwyr, yn lladd amser yn lle taclo'r mynydd o waith cartref oedd gen i. Roedd Rhodri a'i gariad newydd, Elen, a gweddill y criw wedi mynd i'r parc, a hunluniau ohonyn nhw'n mwynhau eu hunain yn aflonyddu fy ffôn o hyd.

Snapchat oddi wrth Rhodri: "Ti'n dod neu be?"

Roedd Taid yn chwyrnu unwaith eto ac ro'n i'n gwybod

y byddai e'n cysgu'n sownd tan amser swper ac roedden nhw wedi addo bod yn ôl o'r Gogledd erbyn hynny. Oedais am eiliad. Edrychais eto ar un o'r degau o luniau. Roedd pawb o'r criw yno ac roedd yr haul wedi ymddangos o'r tu ôl i gwmwl. Roedd y demtasiwn yn ormod. Newidiais fy nghrys, rhoi jel ar fy ngwallt a mynd am y parc. Fyddai Taid ddim callach.

Hanner awr fues i yno i gyd, a phetawn i'n onest doedd cicio sodlau rownd y swings a bod yn gynulleidfa i labswchan Rhodri ac Elen ddim gymaint o sbort ag yr edrychai yn y lluniau. Ond doedd dim bai ar Rhodri am fy ngwahodd, sbo. A dweud y gwir, ro'n i'n eithaf balch pan gyhoeddodd y ddau eu bod nhw'n mynd mlaen i'r dre, ac wrth gwrs, dilynodd pawb. Troi am adre wnes i, gyda'r esgus fod gen i wers gitâr.

Wrth droi cornel ein stryd, gwelais fod ein drws ffrynt yn agored led y pen a gwyddwn yn syth fod rhywbeth yn bod. Rhedais fel mellten am y tŷ heb wybod beth fyddai'n fy nisgwyl. Rhuthrais drwy'r drws. Doedd dim golwg o Taid.

"Taid? Taid? Ble y'ch chi?" gwaeddais. Doedd dim pwrpas edrych lan lofft a doedd e ddim wedi mentro mas i'r ardd chwaith. Sylwais fod y ffon a fyddai'n hongian ar gefn ei gadair wedi mynd. Rhaid ei fod e wedi dihuno a mynd i grwydro pan sylweddolodd fod y tŷ yn wag.

Anelais i gyfeiriad y siop, gan geisio cysuro fy hunan ei fod yn rhy araf a musgrell i fynd yn bell. Ceisiais edrych fel pe bawn yn mynd am wâc fach hamddenol er fy mod yn chwysu fel mochyn a 'nghalon ar ras. Do'n i ddim eisiau i'r cymdogion sylwi bod problem – wel, dim cyn bod rhaid. Roedd fy llygaid yn llifo i bob twll a chornel ac roeddwn i'n ymwybodol, am y tro cyntaf ers fy mod yn blentyn, o bob slaben anwastad ar y palmentydd a allai ei faglu.

Doedd dim golwg ohono yn y siop ac am ryw reswm es yn fy mlaen i'r parc er fy mod wedi cerdded llawer yn bellach nag y gallai Taid fyth ei wneud yn barod. Os na fyddai e yno, fyddai dim dewis ond ffonio Mam.

Alla i ddim esbonio'r rhyddhad a deimlais pan welais y cap fflat, y wasgod frethyn lac a'r ddwy law rychlyd yn pwyso'n drwm ar ffon ffyddlon. Roedd Taid wedi cymryd hoe ar y fainc o flaen y pwll hwyaid.

"Beth yn y byd y'ch chi'n neud fan hyn, Taid?" holais. Gallwn weld yn syth ei fod yn falch o glywed fy llais.

"Wedi dod i chwilio amdanach chdi dwi 'de! Fasa

'nghroen i ar y parad tasa dy fam wedi dod adra a chditha ar goll. Ddylia chdi ddim crwydro o'r tŷ ar ben dy hun fel'na. Mae'r lôn 'cw'n beryg bywyd."

"Dyw hi ddim yn saff i chi chwaith."

"Twt lol! Dwi'n ddigon tebol, sdi... Ac mi helpodd yr hogan bach 'ma fi, chwara teg."

Roedd Helen, un o ffrindiau Elen, yn rhannu'r fainc gyda Taid. Teimlais fy hun yn gwrido'n syth ond gwenu wnaeth Helen a doedd dim dewis gen i ond gwenu'n ôl.

"O'n i'n meddwl dy fod ti'n mynd i'r dre?" holais.

"O'dd dim lot o whant arna i ac ro'dd Rhodri ac Elen yn dechre rili mynd ar fy nerfe i."

Cefais dipyn o syndod i glywed Helen yn siarad mor blaen, a sylweddolais efallai nad oedd neb o'n criw ni yn rhy hoff o 'run o'r ddau mewn gwirionedd.

"Diolch am edrych ar ei ôl e."

"Ti am helpu dy daid i godi, neu wyt ti am wneud llygaid llo bach ar hon drwy'r pnawn?" holodd Taid ar dop ei lais.

Gallwn i fod wedi lladd Taid yr eiliad honno. Am ennyd, ro'n i'n ddigon dwl i gredu na fyddai Helen wedi deall beth roedd e'n ei feddwl wrth 'llygaid llo bach'. Ond dechreuodd hi gilwenu, ac roedd hi'n amlwg yn gwybod yn iawn. Ond gwenu oedd hi serch hynny. Roedd hi'n gwenu lot.

"Wel, gafael yn fy mraich i, wir Dduw," gorchmynnodd Taid wrth geisio codi. Gafaelais ynddi a sicrhau ei fod yn saff ar ei draed.

Wrth i fi gydio ym mraich Taid a cherdded gan bwyll bach gydag e drwy'r parc am y tŷ, doedd dim cymaint o ots gyda fi fod ei lais yn uchel, ei geg yn ddiddannedd, ei wasgod yn hen ac yn llac, a'i frest yn dynn. Byddwn wedi dal fy ngafael ym mraich Taid, hyd yn oed pe bai Rhodri ac Elen wedi dod rownd y gornel, law yn llaw.

A gallwn daeru bod llygaid Helen arnon ni'n dau, yn gwenu o hyd.

Nid Aur Yw Popeth Melyn

Mared Lewis

TEIMLAD ANNIFYR YDY'R un pan dach chi'n deffro a ddim yn cofio lle ydach chi, pwy ydach chi, na pha ddiwrnod ydy hi.

Wel dyna'n union ddigwyddodd i mi ar fore fy mhenblwydd yn bymtheg oed.

Roedd pethau wedi dechrau'n rhyfedd. Mam ddeffrodd fi'r bore hwnnw. Ro'n i wedi arfer efo'r larwm yn ysgwyd y gwely i ddweud wrtha i fod 'na ddiwrnod newydd wedi dechrau. Doedd Mam byth yn dod yn agos at fy stafell wely, fel rheol. Ac roedd rheolau'n bwysig.

"Waaa... be... pwy?" meddwn, yn hanner cysgu.

"Melynaf? Melynaf Haf, rhaid i ti godi rŵan, cariad," meddai, a'i llais fel mêl.

Llais fel mêl oedd wedi dechrau mynd yn dân ar fy nghroen yn ddiweddar, a dweud y gwir wrthach chi, a finnau ddim yn siŵr pam. Roedd y ffordd roedd hi'n dweud fy enw llawn i hyd yn oed yn gwneud i mi deimlo'n annifyr.

"Mel... galwch fi'n Mel, Mam."

"Ia, ia, Mel. Ty'd rŵan, 'ta. Ti'n cofio pa ddiwrnod ydy hi, dwyt?" meddai Mam.

Ro'n i'n medru clywed yn ei llais ei bod hithau'n dechrau teimlo straen y diwrnod yn barod. Roedd cymaint o edrych ymlaen wedi bod at heddiw, fy mhenblwydd yn bymtheg oed. Yn ein byd ni, yr Eurfyd, hwn oedd y diwrnod pwysicaf un ym mywyd rhywun. Ac ar ôl yr holl baratoi, roedd y diwrnod wedi cyrraedd o'r diwedd. Roedd hi'n anodd credu'r peth.

Agorais fy llygaid yn iawn ac edrych arni. Edrychai wedi blino, ac yn hŷn na'i thri deg oed.

"Faint o'r gloch ydy hi?" holais, gan ddylyfu gên wrth siarad.

"Bron yn saith."

"Saith! Ond pam na fasach chi wedi…"

Neidiais allan o'r gwely fel tasa 'mhen ôl i ar dân, gan wneud i Mam golli ei balans mewn braw.

"Hei, hei, pwylla! Rargian, hanner awr wedi saith 'dan ni'n troi'r sgrin wal ymlaen, sdim isio i ti fynd i banig, Mel bach. Ma gen ti ddigon o amser. Wela i di yn y gegin pan ti'n barod, ia?"

A gadawodd y stafell, a'i hochenaid yn llenwi'r lle.

Doedd diwrnod pen-blwydd yn yr Eurfyd ddim yn un arbennig fel arfer, ddim fel roedd pethau yn yr hen ddyddiau. Diwrnod fel unrhyw ddiwrnod arall oedd diwrnod pen-blwydd: camu i'r pod molchi a gwisgo, dal yr hofren-fws i'r ysgol ac yn ôl, tabled swper o flaen y bocs teledu... Ond roedd pen-blwydd yn bymtheg oed yn wahanol.

Ymhen chwarter awr, ro'n i wedi molchi a gwisgo ac yn barod i wynebu Diwrnod Pwysicaf fy Mywyd. Doedd hi ddim yn broblem dewis y wisg, gan fod honno wedi ei threfnu ers diwrnod fy ngeni. Rhag ofn 'mod i'n mynd yn rhy dew, yn rhy denau, yn rhy fyr neu'n rhy dal i'r wisg oedd yn disgwyl amdana i, ro'n i wedi gorfod cael fy mhwyso a'm mesur ddwywaith yr wythnos dros y chwe mis diwetha. Am niwsans! Er bod hyd y wisg yn berffaith, ro'n i wedi magu ychydig o bwysau o gwmpas fy nghanol, felly ro'n i wedi gorfod torri lawr i dair tabled y dydd yn lle pedair. O leia fe fydd hynny'n stopio ar ôl heddiw, meddyliais.

Ac eto, os oedd cael fy mesur a fy mhwyso yn stopio heddiw, dim ond dechrau roedd pethau eraill. Gan eistedd wrth y bwrdd brecwast yn yfed y sudd melyn ac yn paratoi i lyncu fy mhilsen frecwast, edrychais ar y bocsys melyn wrth ymyl y drws. Heddiw fyddai'r diwrnod pan fyddwn i'n gadael, yn symud allan o'r tŷ lle roeddwn i wedi cael fy magu ac yn dechrau bywyd newydd efo Fy Mhartner Oes – yr un roedd y Sustem wedi ei ddewis i mi. Ymhen rhyw hanner awr fe fyddwn i'n gwybod ei enw, wedi clywed ei lais, wedi edrych ar ei wyneb am y tro cyntaf...

Daeth Dad heibio a rhoi ei law ar fy ysgwydd.

"Iawn, Melynaf?" gofynnodd, gan edrych i fyw fy llygaid.

Yna, roedd Mam hefyd yno, a rhoddodd ei llaw ar fy ngwallt. Roedd rhywbeth tebyg i ddŵr yn ei llygaid.

"Diwrnod mawr. Diwrnod hapus ydy hwn, Mel," meddai, gan wenu arna i. "Mae'n naturiol i ti fod yn nerfus. Dwi'n cofio sut o'n i, funudau cyn i mi gyfarfod dy dad am y tro cynta."

"A sbia arnan ni!" meddai Dad, a thynnu wyneb gwirion er mwyn gwneud i ni chwerthin.

Roedd Mam yn iawn. Fe fyddai pob dim yn berffaith unwaith ro'n i wedi cael gweld Yr Un yn ymddangos ar y sgrin ar y wal.

Teimlais y ffôn ar fy ngarddwrn yn crynu, a'r golau melyn yn fflachio arno. Ymhen eiliad, roedd wyneb Eurona, fy ffrind gorau, yn gwenu'n ddel arna i. Ro'n i wedi mopio! Do'n i ddim wedi gweld Eurona ers tri mis cyfan, byth ers iddi hi droi'n bymtheg oed a dechrau gweddill ei bywyd efo'i Phartner Oes.

"Lwc aur i ti heddiw, Mel!" meddai, a chodi bawd i ddangos ei bod yn cefnogi. "Ond cofia, does gan lwc ddim byd i neud efo'r peth nag oes? Fel dwi'n gwbod!"

Roedd ei gwallt wedi ei dorri mewn ffordd wahanol, ac wedi ei dynnu oddi ar ei hwyneb, ac roedd hi'n gwisgo'r ffrog honno y byddwn inna'n ei gwisgo ymhen oriau, a'r sash euraid ar draws i ddangos 'mod i wedi priodi.

Cyn i mi gael cyfle i ateb, dechreuodd y sgrin wneud sŵn bipian, gan fflachio'n felyn a gwyn bob yn ail. Edrychais i lawr ar lun Eurona, ond roedd hi wedi diflannu a gadael y sgrin yn ddu.

"Ma hi'n amsar, Mel," meddai Mam yn dyner ac estyn am fy llaw fel roedd hi'n arfer ei wneud pan o'n i'n hogan fach. Yn hogan fach heb ofal yn y byd, yn cael gwneud unrhyw beth.

Daeth Dad at fy ochr, ac mi gerddon ni, ein tri, at y sgrin ar y wal. Pwysais ymlaen, a'i chyffwrdd.

***

Roedd yr hofran-gar wedi cyrraedd erbyn i Dad a Mam a finnau gario'r bocsys a'r bagiau i gyd allan ar y palmant. Cefais y teimlad od y byddwn wedi rhoi unrhyw beth i'r car fod yn hwyr, neu fod mewn damwain efo hofran-gar arall fel oedd yn medru digwydd weithiau os oedd y Sustem yn methu. Ond na, doedd dim gobaith o hynny heddiw. Hwn oedd fy niwrnod mawr, fy niwrnod lwcus. Doedd dim byd yn mynd i fynd o'i le heddiw.

"Fydda i ddim yn stopio meddwl amdanat ti, cofia hynny," meddai Mam, a'r hen ddŵr yna yn ei llygaid unwaith eto. Roedd ei llais yn swnio'n rhyfedd.

"Fydd blwyddyn yn mynd fel y gwynt, gei di weld," meddai Dad, yn troi ata i o gau drws cefn y car ar y bocsys. Roedd ei lais yntau'n swnio'n wahanol hefyd.

Blwyddyn! Blwyddyn gyfan cyn cael eu gweld nhw. Dyna'r rheol. Roedd hi'n anodd meddwl am y peth.

A dyna ni. Roedd y ffarwél drosodd mewn chwinciad,

a chefais y teimlad fod Mam a Dad yn awyddus i fynd yn ôl i mewn i'w fflat, gan fy ngadael innau'n hofran mynd i gyfeiriad yr adeilad lle roedd Eurwyn yn disgwyl amdana i.

Eurwyn. Dyna oedd ei enw fo. Fy mhartner oes. Eurwyn a Melynaf. Ceisiais ddweud y geiriau'n uchel, eto ac eto, er mwyn eu blasu, er mwyn ceisio arfer. Saethai'r hofran-gar uwchben y lonydd melyn fel bwled, ar gyflymder ofnadwy. Gan nad oedd y car yn cyffwrdd y llawr, rhag difetha lliw melyn y palmant, roedden ni'n teithio mewn distawrwydd, heblaw am fy llais i'n dweud "Eurwyn a Melynaf, Eurwyn a Melynaf, Eurwyn a Melynaf" drosodd a throsodd.

Doedd o, Eurwyn, ddim wedi dweud llawer, pan welais ei wyneb ar y sgrin, ac edrychai yntau fel tasa ganddo bethau mwy diddorol i'w gwneud na siarad efo fi. Roedd ei fam yn y cefndir, yn edrych yn ofalus ar bob dim oedd yn digwydd. Wnaeth o ddim edrych i fy llygaid un waith. Nerfus oedd o, meddai Mam. Mae'n siŵr nad oedd hyn yn hawdd iddo fo chwaith, chwarae teg. Ond peth felly oedd troi'n bymtheg, roedd pawb yn gwybod hynny, a doedd dim amdani ond gwenu ac edrych ymlaen. Gwenu. Ac edrych ymlaen.

Wedi'r cyfan, roedden ni mor lwcus o fod yn perthyn i'r Eurfyd, lle roedd popeth wedi ei drefnu ar ein cyfer, ac nid i'r Glasfyd gwyllt lle roedd pobol yn ymddwyn fel anifeiliaid.

Daeth y storm o nunlle. Un eiliad roedd yr haul yn gwenu'n euraid ar y byd, a'r funud nesa roedd yr awyr yn gymylau duon i gyd, a phob man yn dywyll.

Yn y pellter, gallwn glywed sŵn taran yn chwyrnu'n fygythiol, fel tasa'r duwiau'n rowlio dis metel enfawr dros y llawr mewn tempar. Ro'n i wedi profi storm o'r blaen, wrth gwrs, ond nid mewn hofran-gar yn simsanu mynd ar hyd strydoedd y dre, ac ar fy mhen fy hun!

Yna'n sydyn, saethodd mellten fel braich las igam ogam ar draws yr awyr, gan oleuo pob man mewn golau gwyn llachar, nes gwneud i'r palmentydd melyn edrych bron iawn yn wyn-las.

Ac yna, gyda sgrech, daeth yr hofran-gar i stop. Arhosais heb symud i ddechrau, gan ddisgwyl y byddai'r cerbyd yn ailgychwyn mewn ychydig eiliadau. Dim byd. Roedd yn berffaith lonydd. Edrychais o 'nghwmpas. Roedd pob man yn dywyll iawn o hyd, ac arwydd a'r geiriau 'Stryd y Palmant Aur' arno yn hongian yn grotésg ac igam ogam.

Fflachiai'r golau stryd fel sêr yn y düwch, yn rhoi ambell sbarc pob hyn a hyn.

Doedd dim amdani ond camu allan o'r hofran-gar i weld a oedd rhai eraill yn digwydd bod o gwmpas i'n helpu.

Ond cyn i mi gael cyfle i agor y drws, daeth y cerbyd yn ôl yn fyw, a saethu fel mellten i lawr y lôn, gan symud o ochr i ochr yn wyllt.

"Hei! Hoi! Help!" gwaeddais, ond i ddim pwrpas, achos doedd neb yn medru fy nghlywed i. Ro'n i'n sownd y tu mewn i hofran-gar oedd fel petai ganddo'i feddwl ei hun.

Ac yna, yr un mor sydyn, daeth y cerbyd i stop. Am rai munudau, arhosais fel lwmp o rew, yn disgwyl i'r hofran-gar ailgychwyn. Ond clywais ryw sŵn griddfan ofnadwy yn dod o fol y cerbyd, ac ro'n i'n gwybod ei bod ar ben arna i. Roedd yr hofran-gar wedi torri ac ro'n i ar goll. Yn gyfan gwbwl ar goll.

Heb feddwl, estynnais am y sgrin ar fy ngarddwrn a dechrau siarad i mewn iddi.

"Mam? Dad? Mae 'na rywbeth ofnadwy wedi digwydd."

Syllais ar y sgrin ddu. Doedd dim ymateb. Dim blipian.

Dim byd. Doedd y ffôn ddim yn gweithio chwaith. Ro'n i ar fy mhen fy hun.

Dim ond wedyn y dechreuais i deimlo braidd yn sâl, a rhyw deimlad crynedig rhyfedd yn fy mol, teimlad oedd yn ganwaith gwaeth na'r teimlad bore 'ma pan o'n i'n paratoi i weld wyneb Eurwyn am y tro cyntaf. Ro'n i'n gyfan gwbwl ar fy mhen fy hun am y tro cyntaf yn fy mywyd.

Ella mai'r teimlad hwnnw wnaeth i mi agor y drws a chamu allan i'r stryd er nad oedd gen i ddim syniad pam na lle ro'n i'n mynd i fynd. Sefais yn stond, a gwrando. Roedd pob man yn od o ddistaw. Fel arfer roedd sŵn hymian hofran-geir y ddinas i'w glywed fel rhyw gacwn anferth yn y cefndir. Weithiau mi fyddai'r arwyddion hysbysebu mawr ar gornel stryd yn dod yn fyw wrth i rywun basio, a miwsig a llais yn canu rhyw jingl neu'i gilydd. Ond doedd dim smic. Dim ond distawrwydd.

Syllais eto ar sgrin ddu'r ffôn, er 'mod i'n gwybod nad oedd gobaith. Yna sylwais fod lliw'r palmant yn wahanol. Nid melyn oedd o, ond... glas! Glas! Rywsut roedd yr hofran-gar wedi cymryd troad anghywir ac ro'n i ar fy mhen fy hun bach yn y Glasfyd, a neb o gwmpas i'm helpu! Roedd fy nghalon yn dechrau rasio.

Penderfynais y dylwn i fynd yn ôl i mewn i'r hofran-gar yn reit handi. O leia fe fyddwn i'n ddiogel yn fan'no, oddi mewn i bedair wal y cerbyd. Fe fyddwn yn aros a disgwyl i'r storm basio ac i bethau ddod yn ôl i drefn. Ond wrth i mi ddechrau cerdded ato, fe sbonciodd y car yn ôl yn fyw a gwibio i lawr y lôn nes diflannu o'r golwg.

Am yr ail waith, sefais yn stond a syllu ar y stryd wag oedd fel petai wedi llyncu'r hofran-gar. A theimlais fod y stryd yn mynd i'm llyncu innau unrhyw funud.

"Tydy lwc ddim efo chdi heddiw, nacdi?"

Daeth llais o nunlle. Llais do'n i ddim yn ei adnabod, llais do'n i ddim wedi ei glywed erioed o'r blaen, llais diarth.

"Helô? Ti'n medru siarad, wyt?"

Troais fy mhen. Roedd hi'n dal yn eitha tywyll ond gallwn weld rhywun yn sefyll gerllaw. Hogyn oedd o, tua'r un oed â mi, yn gwenu arna i. Roedd ganddo wallt tywyll blêr ac roedd rhan o'i wallt yn syrthio dros un llygad.

"Ti'n fy nallt i, 'ta?"

"Yndw! Wrth gwrs 'mod i'n dallt!" meddwn, a synnu bod fy llais yn swnio mor wastad, a finnau'n crynu cymaint ar y tu mewn.

Edrychodd y bachgen arna i am eiliad, yna taflu ei wallt yn ôl, a gwenu. Wn i ddim pam wnes i wylltio wedyn. Roedd rhywbeth am y ffordd roedd o'n gwenu, a finnau ar goll mewn byd ro'n i'n gwybod oedd yn fyd drwg, peryglus, heb neb euraid o 'nghwmpas i.

"Be sy mor ddoniol?" gofynnais, gan edrych arno'n heriol.

Dal i edrych arna i a gwenu wnaeth y bachgen.

"Be sy mor ddoniol?" gofynnais wedyn, yn uwch ac yn fwy blin y tro yma.

"Dim byd. Ma petha'n ofnadwy o drist," meddai'r hogyn o'r diwedd, a chogio gwneud wyneb digalon, cyn i'r wên ymddangos unwaith eto ar ei wefusau.

Teimlais fy hun yn dechrau gwenu'n ôl, ond fe wnes i fy ngorau i guddio hynny.

"Sut dwi'n mynd adra? Gwna dy hun yn ddefnyddiol a dwed wrtha i sut dwi'n mynd yn ôl adra," dywedais, gan geisio rhoi holl awdurdod yr Eurfyd i mewn i'm llais. Ond doedd dim i'w weld yn gweithio ar hwn. Doedd arno ddim brys o gwbwl i fy helpu.

"Be fedra i neud?" meddai'r hogyn yn araf. "Wyt ti'n meddwl 'mod i'n medru deud wrth y storm am stopio?"

Edrychon ni'n dau ar y cymylau tywyll oedd yn rowlio ar draws yr awyr. Roedd sŵn taranau i'w glywed o hyd yn y pellter.

"Sut dwi'n mynd yn ôl?" gofynnais ychydig yn llai cas. "Sut dwi'n mynd yn ôl adra?"

Cododd ei ysgwyddau i ddangos nad oedd yn gwybod.

"Sut wn i? Sut wn i sut i fynd yn ôl i dy wlad di? Dwi erioed wedi gorfod meddwl sut i fynd yno, naddo?"

Edrychais arno, ond doedd gen i ddim ateb. Roedd o'n dweud y gwir. Doedd dim un arwydd yn yr Eurfyd i ddangos y ffordd i'r Glasfyd, a dim arwydd yn y Glasfyd i ddangos y ffordd i'r Eurfyd. Doedd y ddau fyd byth yn cyfarfod. Tan rŵan.

"Ar dy ffordd adra oeddat ti? Pan aeth y car fflio gwirion yna'n sownd?" gofynnodd yr hogyn wedyn, a mynd i eistedd ar fainc oedd gerllaw.

"Na."

Ro'n i wedi ateb cyn meddwl yn iawn, ac mi wnes i ddifaru'n syth.

"O? Lle oeddet ti'n mynd, 'ta?"

"Nunlle!"

"Ti'n edrych yn grand iawn i fod yn mynd i nunlle,"

meddai, a'r hen wên yna'n ei hôl ganddo. "Ti'n cyfarfod rhywun pwysig?"

Edrychais i lawr ar fy ngwisg euraid brydferth. Hon oedd y wisg roedd fy Mhartner Oes, yr 'Eurwyn' yna, yn mynd i 'ngweld i'n ei gwisgo am y tro cyntaf. I fod. Hon oedd yn mynd i wneud iddo fo deimlo'n lwcus mai fi roedd y Sustem wedi ei dewis iddo. Yn sydyn dechreuais deimlo'n wirion iawn.

"Tydy o ddim yn fusnes i ti lle dwi'n mynd!" gwaeddais. "Sgen ti ddim hawl gofyn dim byd i mi. Ti'n dallt? Sgen ti ddim hawl o gwbwl!"

Syllais yn flin arno. Roedd o'n edrych ar y llawr. Roedd ei wên wedi mynd, ac edrychai'n reit ddigalon.

Yna cododd oddi ar y fainc. Gwthiodd ei ddwylo i bocedi ei drowsus blêr, a thaflu'i wallt yn ôl o'i lygaid. Daeth i sefyll ata i, yn agos iawn. Gallwn weld lliw glas ei lygaid yn glir. Glas lliw'r awyr ar ddiwrnod braf. Glas del. Glas oedd yn gwneud i mi deimlo'n rhyfedd y tu mewn.

"Pob lwc i ti. Efo mynd adra. Efo... pob dim," meddai, gan edrych i fyw fy llygaid melynwyrdd innau. Am eiliad, teimlais ein bod yn dallt ein gilydd yn well nag oedd neb wedi ein dallt o'r blaen.

Dechreuodd gerdded i ffwrdd i'r cyfeiriad roedd yr hofran-gar wedi diflannu iddo. Heb i mi sylweddoli, daeth dŵr i lenwi fy llygaid, a dechreuais deimlo hen deimlad gwag yng ngwaelod fy stumog wrth ei weld yn cerdded oddi wrtha i.

Daeth y fellten yn sydyn, a goleuo'r stryd yn wyn-las fel o'r blaen, yn fflach o olau.

Roedd sŵn yr arwydd yn syrthio yn fyddarol, yn atseinio drwy'r stryd wag. Ond roedd gwaedd y bachgen yn dal i'w glywed er hynny, yn uchel. Honno oedd y waedd fwyaf erchyll i mi ei chlywed erioed.

Ac yna roedd y fflach o olau wedi mynd, a'r stryd fel roedd hi o'r blaen.

Rhedais at yr hogyn oedd yn gorwedd ar y palmant. Roedd yr arwydd wedi syrthio ar ei ben. Syllais ar y nant fechan o waed coch oedd yn dechrau llifo o'r twll agored ar ei dalcen. Gwaed coch. Yn union fel fy ngwaed innau. Gafaelais yn ei law.

Y Gwyliau
Gwaethaf Erioed

Marlyn Samuel

"BE? DOES 'NA ddim Wi-fi yma? O ddifri?"

Tynnu ei goes oedd ei dad, jocian, cysurodd Iwan ei hun. Ond na, roedd ei dad yn golygu pob gair. Doedd dim Wi-fi na signal ffôn ar gyfyl y fila.

"'Dan ni wedi dod ar ein gwyliau i gael seibiant, brêc oddi wrth bawb a phob dim," gwaeddodd ei fam ar ei ôl, wrth iddo daranu i fyny'r grisiau i'w stafell.

Gorweddai ar ei wely'n berwi ac nid y ffaith ei bod hi'n 26 gradd y tu allan oedd yn gyfrifol am hynny chwaith. Dim Wi-fi? Doedd Iwan ddim yn credu'r peth. Roedd bod heb Wi-fi fel bod heb drydan, fel bod heb ddŵr, fel bod heb ocsigen hyd yn oed! Roedd hi'n ddigon drwg ei fod wedi gorfod dod ar y blincin gwyliau yma yn y lle cynta. Doedd o ddim isio dod yn fwy nag oedd o isio hoelen yn ei ben. Mi driodd ei orau i berswadio ei rieni y bysa fo'n rêl boi yn aros adre ar ei ben ei hun.

"Paid â siarad yn wirion, hogyn. Ti'n rhy ifanc."

Roedd o wedi trio eu perswadio i adael iddo gael aros yn nhŷ Jac, ei ffrind.

"Rwyt ti'n dŵad a dyna ddiwedd arni," oedd ymateb ei dad i'r awgrym hwnnw. "Carafán yn Ninbych y Pysgod oedd y gwylia o'n i'n arfer ei gael – os o'n i'n lwcus. Mi fysa lot o hogia dy oed di wrth eu boddau'n cael wsnos yn yr haul yn Sbaen. Paid â bod mor anniolchgar, hogyn."

O bysa, meddyliodd Iwan, mi fysa'r rhan fwyaf o'i fêts yn rhoi eu llaw dde i dreulio wythnos mewn rhyw fila *boring* yn nhwll din Sbaen.

Roedd hi'n ddigon drwg ei fod o wedi gorfod gadael ei ffrindiau i gyd, ac roedd hi'n ddigon drwg ei fod wedi methu mynd i barti pen-blwydd Huw. Y parti roedd bron pawb o'i flwyddyn yn mynd iddo. Y parti y byddai Sera'n mynd iddo. Gwyddai'n iawn y byddai Siôn Hughes yn siŵr o wneud bi-lein amdani yn y parti, a dyna hi'n ta-ta wedyn.

Roedd hi ddigon ddrwg eu bod nhw'n aros mewn fila ddiarffordd hanner ffordd i fyny ryw fynydd, a'r pentref agosaf ddwy filltir a mwy i ffwrdd. Pam na fyddai ei fam a'i dad wedi bwcio gwesty ar lan y môr fel pobol normal? Llynedd, roedd Tomos wedi aros mewn gwesty oedd yn cynnwys parc dŵr a hyd yn oed academi bêl-droed. Dyna be oedd gwyliau, siŵr. Roedd hi'n ddigon drwg ei fod o'n gorfod treulio saith diwrnod soled yng nghwmni ei fam a'i dad, a'i nain a'i daid diflas. Heb sôn am orfod dioddef swnian Sioned, ei chwaer fach.

Yr unig gysur ar y gwyliau diflas yma fyddai ei ffôn. Ond doedd hynny ddim yn bosib bellach.

Beth yn y byd mawr roedd o'n mynd i'w wneud? Dim WhatsApp, dim Snapchat, dim Instagram, dim Facebook. Doedd dim unrhyw fodd yn y byd iddo wylio YouTube, na lawrlwytho a gwrando ar gerddoriaeth. Diolch byth nad oedd hi'n dymor pêl-droed, meddyliodd; dyna beth fyddai creisis gwirioneddol – methu cael gwybod y canlyniadau pêl-droed diweddaraf.

Syllodd Iwan ar y teclyn yn ei law fel pctai'n ewyllysio'r symbol Wi-fi i ymddangos yn wyrthiol arno. Yn ei rwystredigaeth a'i dymer, taflodd y ffôn i droed y gwely. Roedd o'n casáu ei rieni am ddod â fo i'r fath le.

***

"Iwan, ti'n dod i'r pwll?"

"Dos o 'ma," atebodd Iwan ei chwaer fach yn ôl yn flin. "Gad lonydd i mi."

Ers iddynt gyrraedd y fila, roedd Iwan wedi pwdu.

Gwrthodai'n lân ag ymuno â gweddill y teulu wrth y pwll, a phan aethant am dro i'r farchnad yn y dref agosaf, ddeudodd o ddim gair o'i ben yr holl amser. Doedd o'n gwneud dim ymdrech i fwynhau ei hun. Ac yn waeth na hynny roedd ei ymddygiad yn difetha'r gwyliau i weddill y teulu hefyd. Roedd ei fam a'i dad bron â chyrraedd pen eu tennyn efo fo.

Deg munud yn ddiweddarach, daeth cnoc arall ar ddrws ei stafell.

"Dos o 'ma, medda fi!"

Er gwaetha'r gorchymyn, agorodd y drws yn araf.

"Gad lon—" Stopiodd Iwan yn ei dracs. Yno'n sefyll yn y drws roedd ei daid.

"Meddwl 'sat ti'n licio dŵad am dro efo fi i'r pentra."

"Dim diolch," mwmiodd Iwan.

"Duwcs, tyrd yn dy flaen. Sgin i fawr o ffansi mynd ar ben fy hun. Waeth i ti ddŵad ddim, yn lle dy fod ti'n gorweddian yn fama â dy ben yn dy blu. Tyrd yn dy flaen. Bryna i ddiod a chacen i ti."

Roedd hi'n amlwg nad oedd ei daid yn fodlon derbyn na fel ateb. Ochneidiodd Iwan a chodi'n anfoddog oddi ar ei wely.

***

Roedd hi'n rhyw siwrnai ddeg munud dda i'r pentref ac yn ystod y daith, prin y torrodd Iwan ddau air. Yn ffodus, cafodd ei daid le i barcio reit o flaen caffi yn y sgwâr ac aeth y ddau i eistedd wrth un o'r byrddau gwag y tu allan. Archebodd y ddau gacen siocled hufennog, coffi, a diod oer yr un.

"Ew, mi roith hon flew ar dy frest di," meddai ei daid wrtho pan osododd y weinyddes ddau ddarn anferth o gacen o'u blaenau. "Ma honna'n ddigon mawr i alw chi arni hi."

Roedd ei daid yn dweud y pethau rhyfedda weithiau, meddyliodd Iwan gan ddechrau claddu'r gacen. Roedd blas da arni. Blas da iawn a dweud y gwir.

Wedi parcio yn eu hymyl roedd sgwter bach coch. Daeth ei berchennog heibio gan danio'r peiriant ac yna ei refio'n swnllyd cyn cychwyn i ffwrdd.

"Mi oedd gen i foto-beic erstalwm," meddai ei daid rhwng dau gegaid o'r melysfwyd.

Cododd Iwan ei glustiau. "Do'n i ddim yn gwybod eich bod chi'n arfer reidio moto-beic!"

"Norton 500 oedd o. Dyna chdi fashîn! Troed i lawr – a mynd. Peiriant angau roedd dy nain yn ei alw fo. Roedd ganddi hi ofn am ei bywyd ar ei gefn o! Methu dallt pam chwaith – dim ond rhyw *seventy* o'n i'n neud!"

"Wariar, Taid!" chwarddodd Iwan. Y tro cynta iddo chwerthin ers dyddiau.

"Yr hen ddamwain 'na ddrysodd pethau braidd. Bron iawn iddyn nhw orfod torri fy nghoes i ffwrdd."

"Dyna be ydi'r graith 'na sydd ganddoch chi ar eich coes, ia?"

"Ia, dyna ti. Roedd rhaid i mi roi'r gora i chwarae ffwtbol wedyn."

"Oeddech chi'n chwarae ffwtbol hefyd?" gofynnodd Iwan yn syn.

"Oeddwn, *centre half*. Fues i'n chwarae i Fangor am gyfnod."

"Rioed? Waw. Cŵl. Pa dîm dach chi'n ei gefnogi?"

"Un tîm sy 'na, 'ngwas i. Tîm Bobby Charlton. Dyna chdi foi. Sa hwnna'n medru dysgu un neu ddau o betha i'r Ronaldo bach 'na!"

Wyddai Iwan ddim fod gan ei daid gymaint o ddiddordeb mewn pêl-droed. Ond doedd Iwan erioed wedi trafferthu i gynnal sgwrs efo'i daid. Fel arfer roedd ei drwyn yn ei ffôn.

"Ia, Bobby Charlton, un o'r *midfielders* gora erioed. Roedd o'n chwara yn nhîm Lloegr pan enillon nhw Gwpan y Byd 'nôl yn..."

"Wi-fi! Yesss!" bloeddiodd Iwan, wedi cynhyrfu'n lân ar ôl gweld yr arwydd ar ddrws y caffi yn dangos bod Wi-fi am ddim ar gael yno.

Cythrodd Iwan am ei ffôn yn wyllt. Er ei fod o'n segur ers tridiau, roedd yn dal i'w gadw ym mhoced ei jîns. Ac ar ôl derbyn y cyfrinair gan y weinyddes, roedd o wedi cysylltu â'r cyfryngau cymdeithasol o fewn eiliad.

Edrychodd Hywel Davies ar ei ŵyr a oedd bellach wedi'i fesmereiddio'n llwyr. Ochneidiodd, gan orffen ei gacen mewn tawelwch. Talodd y weinyddes, ac ar ôl iddo godi sylwodd yn ddigalon fod 'na byncsiar yn un o deiars y car.

Anwybyddodd Iwan sylw ei daid am hyn. Daliai i eistedd a'i drwyn yn ei ffôn. Sylwodd o ddim ar ei daid yn mynd i'r bŵt i estyn yr olwyn sbâr. Sylwodd o ddim chwaith ar y gŵr oedd newydd stopio a chynnig helpu ei daid.

Ymhen sbel, digwyddodd godi ei ben. Bu bron iawn iddo ollwng ei ffôn ar y llawr mewn sioc. Doedd o ddim yn credu ei lygaid. Na, doedd bosib? Ond ia, y fo oedd o'n bendant. Roedd Iwan yn gegrwth. Yno, o'i flaen ar ei gwrcwd yn helpu ei daid, roedd Gareth Bale o bawb! Ei arwr!

Cyflwynodd ei daid y ddau i'w gilydd ac ysgydwodd Gareth ei law'n gynnes a dechrau sgwrsio am bêl-droed ac ati efo fo. Doedd cartref Gareth ddim yn bell o'r pentref, eglurodd wrth y ddau. Fydd neb o fy ffrindiau'n credu hyn, meddyliodd Iwan. A phan dynnodd ei daid lun o'r ddau efo'i gilydd, roedd o yn ei seithfed nef.

***

"Hwn ydi'r gwyliau gorau erioed," datganodd Iwan pan gerddodd i mewn i'r fila'n ddiweddarach. Roedd gwên fawr ar ei wyneb.

Edrychodd ei rieni'n syfrdan ar ei gilydd.

"Be dach chi'ch dau wedi bod yn neud, felly?" gofynnodd ei dad, yn methu credu'r newid yn ei fab.

"Gafon ni baned a pyncsiar. Fawr o ddim byd cynhyrfus, na, Iws?" atebodd ei daid gan roi winc ar ei ŵyr.

"Na," gwenodd Iwan yn ôl. "Dim byd cynhyrfus o gwbwl."

Adar Rhiannon

Miriam Elin Jones

C ASH.

Dyna mae hen fodrybedd i fod i adael i'w neiaint mewn ewyllys wedi iddynt begio hi. Arian. Pres. Sbondŵlis. Neu ryw *beth*. Casgliad o blatiau tsieina. *Antiques*. Pethau hawdd i'w fflogio. Unrhyw beth gwerthfawr.

Nid adar, fel adawodd Anti Rhiannon i mi. Nid dau blydi fyji, sachaid o hadau a chawell.

Eisteddant yno'n tshîp-tshîpio'n rhadlon. Dau fyji. Bellach yn perthyn i fi. Yn anrheg olaf oddi wrth fodryb nad oeddwn ond yn ei gweld bob Dolig. Papur pumpunt mewn cerdyn bob pen-blwydd a cherdyn drachefn i ateb yn dweud diolch digon swta oedd ein hunig ohebiaeth bellach. A dyma hi'n penderfynu gadael dau fyji – rhai a oedd yn annwyl iawn iddi, yn ôl pob sôn – yn fy ngofal am byth bythoedd.

Diolch yn fawr. Diolch yn fawr iawn.

Mae'n bosib mai cosb o fath oedd hyn. Hithau'n gwybod 'mod i wedi bod yn ddigon hy i hawlio diwrnod o'r ysgol i fynd i'w hangladd, er nad oeddwn i byth yn mynd i'w gweld hi. Doeddwn i ddim yn haeddu cosb. Mynd i ddangos mymryn o barch wnes i. Wir. Roedd fy nhei yn crogi am fy ngwddf a finnau wedi cau'r botwm top ar fy nghrys. Petai'r bois yn yr ysgol yn fy ngweld i'n edrych fel'na – yn union fel blydi swot – byddai'r tynnu coes rhyfeddaf. Wrth i bawb sipian eu te yn sidêt wedi'r claddu – a finnau'n methu credu bod y mwyafrif eisoes wedi sychu'r dagrau ac yn chwerthin yn ddigon joli'n barod – daeth y cyfreithiwr i mewn gyda chlamp o focs wedi ei orchuddio â lliain du. Doeddwn i erioed wedi cyfarfod y cyfreithiwr o'r blaen, ond gall rhywun sbotio cyfreithiwr o bell. Mae eu siwtiau'n drewi o arian, bob plyg yn finiog a'r tei ryw shêden ecsgliwsif o *mauve* yn hytrach na phinc. Roedd arogl *aftershave* yn ei ddilyn i'r stafell.

"Arwel Huws?" galwodd, gan chwilio'n ddall o'i gwmpas.

Bu bron i mi ffeinto o'i glywed e'n galw'n enw i. Methu credu 'nghlustiau. Roedd Anti Rhiannon wedi gadael rhywbeth i fi. Rhuthrodd Mam draw, ac fe gyflwynodd y cyfreithiwr ei hun fel un o bartneriaid Jones, Jones & Davies Solicitors.

"Wel? Oes 'na rwbeth i Arwel?" holodd Mam iddo'n syth.

"Braidd yn anarferol, ond oes, a chefais gyngor i'w dosbarthu heddiw, yn syth bin. Mae'r ysgrifenyddes wedi bod yn gofalu amdanyn nhw yn y swyddfa a…"

"*Hold the boat*, gofalu amdanyn nhw?"

"Roeddech yn gwybod am Bill a Ben?"

"The flowerpot men?"

"Y byjis."

Tynnodd Mr Jones, Mr Jones neu Mr Davies (dyn a ŵyr pa un o'r partneriaid oedd e) y lliain. Nid bocs oedd oddi tano, ond cawell. Cawell a dau fyji melyn yn hedfan y tu mewn iddi. *Wind-up* oedd hyn. Doedd bosib bod hyn yn real? Roeddwn yn disgwyl i griw teledu neidio mas o dan y byrddau yn dweud mai jôc oedd y cyfan. Cyhoeddi fy mod am ennill gwobr neu rywbeth… (Nid 'mod i'n *obsessed* gydag arian, gyda llaw, ond dwi wedi bod yn safio ers blynyddoedd i brynu beic newydd.)

Ond na. Roedd fy hen fodryb wedi gadael dwy lygoden bluog i fi. I fi, a neb arall.

"Mae 'na nodyn."

Esboniad. O ryw fath. Ddarllenais i mohono i gyd ar y

pryd, dim ond gweld 'Roedd e mor ofalus o'i ddoliau' wedi ei deipio ar bapur crand gan ysgrifenyddes. Cochais tan i wres fy mochau beri i ddropyn o chwys ddiferu i lawr fy wyneb. Anti Rhiannon, er mwyn dyn! Oedd rhaid dweud wrth y cyfreithiwr a'i swyddfa 'mod i'n arfer chwarae â doliau?!

Nid bod dim byd o'i le gyda doliau. Wel… tyfais i mas ohonyn nhw. Roedd yn *rhaid* i mi dyfu mas o chwarae gyda nhw. A mynd i chwarae ffwtbol gyda'r bois a phethau felly. A thrueni, mewn ffordd, nad oeddwn yn ddigon dewr i gario mlaen i chwarae gyda nhw, achos roeddwn wrth fy modd. Yn lico cribo'u gwalltiau euraidd nhw. Roedd pob edefyn o wallt mor llyfn, mor feddal, yn teimlo mor braf yng nghledr fy llaw. Dim byd tebyg i wallt Mam. Roedd hwnnw wedi sychu'n grimp ar ôl iddi ei losgi'n ulw wrth gael *perm* rywdro yn ei hieuenctid. Roedd meddwl am Mam fel rhywun â gwallt hir, sidanaidd, fel tywysoges, yr un mor *bizarre* â meddwl amdani fel merch ifanc a Dad yn ei chwrso, yn ei ffansïo hi.

Ta beth, wrth fwytho gwallt fy noliau yn y dyddiau ifanc a diniwed hynny, roeddwn wedi penderfynu mai rhywun â gwallt fel Barbie roeddwn i am ei phriodi. Doeddwn i ddim yn hoyw. Doedd dim byd o'i le ar fod yn hoyw. Ond doedd bod yn hoff o chwarae gyda doliau ddim yn gwneud rhywun yn hoyw. A synnais fod Anti Rhiannon hyd yn oed yn cofio 'mod i'n arfer mynd i'r tŷ gyda llond bag o ddoliau pan fyddai'n fy ngwarchod. Ond am wn i, doedd hi ddim wedi fy ngweld i'n ddiweddar na chlywed am fy ngorchestion ar y cae pêl-droed nac yn gwybod am y casgliad helaeth o gêmau Xbox oedd gennyf yn pentyrru wrth y teledu.

Teimlais bwl o euogrwydd.

Mi ddylwn fod wedi gwneud mwy o ymdrech i fynd i'w gweld hi.

Ac mae'r euogrwydd hwnnw'n tyfu bob tro dwi'n edrych ar y ddau fyji.

Roedd 'na drydydd byji – un glas – yn ôl y cyfreithiwr, ond bu farw hwnnw. Neu honno. Betty oedd ei henw. Siŵr i Anti Rhiannon alaru amdani. Doedd ganddi neb arall yn y tŷ i siarad â nhw.

A nawr roedd y ddau arall, ei chyfeillion, yn cael lle ar fy nesg i, yn fy stafell i. Mam fu'n glanhau'r gawell hyd yma. Does gen i ddim amynedd gyda nhw. Dwi wedi bod yn meddwl postio ar dudalen Carmarthen Swap Shop ar

Facebook yn eu cynnig 'Free to a good home', ond yna, petai rhywun o'r ysgol yn eu gweld, gwn y byddwn yn destun jôcs am flynyddoedd, a dydw i ddim yn ffansïo hynny. Gallwn ddychmygu cael fy ailfedyddio'n Byji Boi, neu rywbeth felly. Roeddwn yn ddigon hoff o'r enw Arwel, diolch yn fawr iawn.

Na, byddai eu hysbysebu i'r byd yn fy ngwneud i'n destun gwawd, ac yn gwneud i mi deimlo'n waeth fyth am gael gwared â byjis Anti Rhiannon.

Bill a Ben.

Er i mi drio am gyfnod (digon byr) eu dysgu i regi (ar ôl Gwglo i weld oedd hynny'n bosib) daeth y *novelty* o fod yn berchen ar ddau fyji i ben yn gymharol gyflym. Roeddent yn trydar yn ddiddiwedd ac yn ein cadw ni i gyd ar ddi-hun. Twît, twît, twît drwy'r blydi nos. Roedd dychwelyd i'r ysgol y dydd Llun hwnnw wedi'r angladd yn hunllef, a finnau'n teimlo fel blincin sombi, heb gael eiliad o gwsg drwy'r penwythnos.

"Sori i glywed am dy anti, Arwel."

Neidiais o 'nghroen wrth glywed rhywun yn siarad â fi. Roeddwn wedi bod yn rhy brysur yn meddwl am sut fyddai'r byjis yn ymdopi â'u diwrnod cyntaf mewn cartref newydd ar eu pennau eu hunain.

Troais a gweld Siwan Haf o Flwyddyn 11 yn sefyll yno. Siwan Haf. Yn siarad gyda fi.

"D... d... diolch."

Roedd Siwan Haf yn hardd. Yn uffernol o hardd. Ei siwmper ysgol yn dynn amdani a'i gwallt golau yn diferu lawr ei chefn. Roedd ganddi wallt yn union fel Barbie.

"Ti'n ocê?" gofynnodd. "Ti'n edrych yn ryff."

O mai god. Siwan Haf. Yn dweud 'mod i'n edrych yn ryff. O'i genau hi – o'i gwefusau biwtiffwl, a finnau wedi breuddwydio am eu cusanu nhw – roedd yr ansoddair yn gompliment. A dweud y gwir, roeddwn wrth fy modd ei bod hi'n gwybod 'mod i'n bodoli.

"Oedd hi'n hen?"

"Nainti-tŵ."

"Dwi'm yn gallu dychmygu byw mor hen â 'na."

Doeddwn i ddim yn gallu chwaith, wedi meddwl. Roedd Anti Rhiannon, yn ei deuddeg a phedwar ugain o flynyddoedd, wedi gweld rhan o ddwy ganrif wahanol. Dau fileniwm. Naw degawd. Yn rhyw frith gofio rhyfeloedd byd. Roedd hi'n byw pan oedd glanio ar leuad yn beth newydd. Ble'r oedd hi pan ddigwyddodd hynny? Roedd y deyrnged iddi yn yr angladd wedi sôn am ei chyfnod yn gweithio yn Harrods yn Llundain. Roedd ganddi fag plastig Harrods yn hongian wrth ddrws y pantri yn dal pegs, a finnau, sbel fawr yn ôl, wedi meddwl mai 'Herod' oedd ar y bag, a hwnnw'n gymeriad fues i'n ei chwarae yn nrama'r geni yr adeg honno. Tybed pwy welodd hi yn gwario ffortiwn yn Harrods? Beth aeth â hi bant i Lundain, a beth a'i denodd yn ôl?

Do, fe gollon ni gyfle. Ni. Pob un ohonom. Mam 'Dwi'n rhy brysur' a Dad 'Dwi'n gweithio ffwl taim!' a 'nghefndryd a'r modrybedd a'r ewythrod eraill. Aeth yr un ohonom i'w gweld hi. Chafodd neb odro'r dystiolaeth hanesyddol roedd ganddi yn ei chof.

A nawr roedd hi wedi mynd. Rhan o hanes wedi ei chladdu gyda hi.

Dychwelodd Dad o'i waith y noson honno gyda rhyw lun ar newyddion da: 'Dwi 'di ffindo rhywun yn y gwaith a'i ferch e ar dân eisiau deryn. Gyniges i rhein iddo, sdim ots gyda ti, oes e?'

Wrth gwrs, roedd e'n pwyntio at Bill a Ben, ill dau yn dal i drydar. Tybed a oeddent yn trio rhannu straeon Rhiannon, a ninnau'n methu eu deall nhw? Edrychais arnynt a theimlo'n flin eto. Bu bron i fi ddweud 'NA!' a gwrthod gadael i Dad eu rhoi i rywun arall. Fy nghyfrifoldeb i oedd y diawled bellach. Ac roeddwn yn bwriadu dod i arfer â nhw. Mae'n siŵr y byddai sŵn eu clebran yn fy suo i gysgu ymhen cwpwl o ddiwrnodau. Bosib y byddwn yn llwyddo i'w hyfforddi i siarad. Gadael iddyn nhw, maes o law, hedfan yn rhydd rownd y stafell a chael hwyl yn gweiddi 'Fly my pretties!'

Ond roeddwn yn gwybod, mewn gwirionedd, fod hynny'n annhebygol iawn o ddigwydd. Roedd Mam wedi dweud mai dim byd ond domi roedd adar o'r fath yn ei wneud.

Cytunais iddynt fynd at y ferch 'ma ar un amod.

Fy mod i'n mynd i weld y tŷ a sicrhau y byddai'r byjis yn cael cartref da.

***

Es yno ar fy union nos Wener ar ôl ysgol, ar ôl nôl y gawell a Bill a Ben o'r tŷ a cherdded gan ddilyn Google Maps i lawr i ran o'r dref nad oeddwn wedi bod ynddi o'r blaen. Rhan *posh* o'r dref. Llond lle o dai crand. Roedd fy myjis yn mynd i gael lle da. Ond roeddwn am sicrhau bod eu perchnogion newydd yn garedig yn ogystal ag yn gyfoethog.

Cyrhaeddais y cartref, a'r enw 'Llys Helyg' wedi ei brintio ar lechen ger y drws ffrynt. Gwasgais fotwm y gloch, a chlywed rhywun o'r tu mewn yn rhuthro at y drws. A chael rhywbeth digon tebyg i sioc farwol (am wn i) o weld wyneb cyfarwydd yn agor y drws.

Siwan Haf, Blwyddyn 11.

Cefais wahoddiad twymgalon i mewn i'r tŷ. Roedd hi'n methu deall pam roeddwn yn cael gwared ar y byjis, ac mi rannais gelwydd bach gwyn mai Mam oedd ddim yn *keen* arnyn nhw. Rhybuddiais fod y ddau yn dueddol o sgwrsio drwy'r nos ond dywedodd hi ei bod yn gorfod gwisgo *ear plugs* i'w gwely ta beth am ei bod hi'n cysgu'n ysgafn felly ni fyddai hynny'n ei phoeni ryw lawer.

"Ti'n ciwt, Arwel," meddai.

Gofynnodd i mi eu cario i'w stafell. Ac mi wnes. Yn fwy na pharod i wneud. Jyst i'w helpu hi, ac o ran chwilfrydedd. I weld sut le oedd ei stafell hi.

Roedd y stafell, wrth reswm, yn anferth. Gwely dwbwl yn ei chanol a llond lle o drugareddau a dillad. Roedd ganddi glamp o silff lyfrau, a sylwais ar lot o lyfrau gwylio adar. A gweld poster o Iolo Williams ar y wal. Ond nid yn unig hynny… Roedd ganddi ddeg Barbie, pob un wedi'u gwisgo'n drwsiadus a'u gwallt sidanaidd yn sgleinio, yn eistedd yn daclus ar y bwrdd bychan ger ei gwely.

"Barbies!"

"O mai god, Arwel, do'n i ddim moyn i ti… Plis, paid â gweud wrth…"

Estynnais am un o'r doliau, ac am frws gwallt cyfagos, gan fwrw ati i frwsio'r gwallt euraidd. Roeddwn yn rhy hen i gael rhyw lawer o fwynhad o'r profiad. Ond roedd hi'n braf meddwl am sut y bu hi. Roeddwn yn ôl yn eistedd ar y mat o flaen y tân yn nhŷ Anti Rhiannon.

"Iachach i dy ddychymyg nag Xbox," meddwn.

Gwenais arni, ac mi arllwysodd pob arlliw o bryder o'i hwyneb. Roedd hi yng nghwmni ffrind.

"Ga i ddod yn ôl i'w gweld nhw?"

"Y Barbies?"

"Y byjis!"

"Dim ond os ddei di i fy ngweld i 'run pryd."

Cytunais. Cefais gusan yn wobr am wneud. Af i ddim i fanylu. *A gentleman never tells* am bethau felly. Ond roeddwn, yn sydyn, yn ddiolchgar iawn, iawn am y byjis.

Dim ond ar ôl gadael Bill a Ben yn eu cartref newydd a dychwelyd a gweld fy nesg yn wag y cofiais am y nodyn. Y nodyn wedi ei deipio a gefais gan y cyfreithiwr adeg y te cnebrwng.

'Roedd e mor ofalus o'i ddoliau, a gwn ryw ddydd y bydd 'na ferched wrth eu boddau gyda chrwt mor garedig a sensitif, a chrwt digon dewr i fod yn fe ei hun.'

Chwarae teg iddi. Roedd cerdded i mewn i'r ysgol yr wythnos wedyn law yn llaw â Siwan Haf, Blwyddyn 11, yn siarad am fyjis a Barbies a mwy, yn becso dim am beth roedd gweddill bois Blwyddyn 10 yn ei feddwl, yn werth mwy na'r un siec anferthol.

Eos

Manon Steffan Ros

MAE MISS ELERI, y ddynes sy'n fy helpu i yn yr ysgol, yn dweud ei bod hi'n iawn i mi gario mlaen i wneud rhestrau, cyn belled â 'mod i'n gwneud fy ngwaith hefyd. Mae hi'n dweud nad oes rhaid i mi ysgrifennu'r rhestrau yma i gyd, fel roeddwn i'n arfer gwneud, ond eu cadw nhw yn fy mhen. Felly dyna dwi'n ei wneud.

Pethau fel hyn:

Rhestr o Bethau i'w Gwneud yn y Bore

1. Codi o fy ngwely.
2. Mynd i'r tŷ bach.
3. Bwyta brecwast (40g o gornfflêcs siocled, dim llaeth).
4. Brwsio fy nannedd am 2 funud.
5. Golchi fy wyneb a 'nwylo am 4 munud.
6. Newid i fy nillad ysgol.
7. Dweud hwyl fawr wrth Dad.
8. Mynd i'r ysgol.

Mae'n rhaid i mi ddechrau rhestr newydd wedyn – rhestr

cerdded i'r ysgol – oherwydd 'mod i ddim am i'r rhestrau fynd yn rhy hir i'w cadw yn fy mhen. Mae Miss Eleri'n dweud ei bod hi'n iawn i wneud rhestrau hir ar bapur, ond ei bod hi'n well eu cadw nhw'n fyr yn y meddwl, gan eu bod nhw'n anodd i'w cofio.

Mae Miss Eleri'n dweud ei bod hi'n dda i mi wneud rhestrau oherwydd eu bod nhw'n helpu i mi beidio gwylltio neu fynd yn ddagreuol. Mae hi'n dweud bod gan bawb wahanol ffyrdd o ymdopi â'r byd, ac mai gwneud rhestrau ydi fy ffordd i. Dim ond i mi beidio mynd yn obsesiynol, fel y gwnes i o'r blaen. Mae Miss Eleri'n defnyddio'r gair yna'n aml – obsesiynol. Mae hi wedi trio esbonio wrtha i beth yw ei ystyr ond mae'n anodd i mi ddeall. Mae'n dweud bod obsesiwn yn digwydd pan mae rhywun yn meddwl am un peth yn unig, yn siarad amdano ac yn meddwl amdano o hyd. Ac wedyn, fe ofynnais i, 'Ond beth yw cariad, 'te?' a rhoddodd Miss Eleri wên fach. Wnaeth hi ddim ateb.

Mae hi'n haws trefnu fy meddwl mewn rhestrau. Ac mae'n haws dweud rhai pethau, hefyd.

Dyma oedd heddiw, rhwng 3.31 a 3.57:

Rhestr Taith Adref Heddiw

1. Gadael yr ysgol. Tywydd yn braf. Mwy o sŵn nag arfer (am ei bod hi'n ddechrau gwyliau hanner tymor, mae'n siŵr).

2. Stopio i dynnu fy siwmper am ei bod hi mor boeth.

3. Mynd i siop Jolly Grocer ar gornel Stryd Maengwyn i brynu losin. (Mam wedi rhoi 50c i mi bore 'ma, fel bydd hi bob dydd Gwener.) Losin yn costio 47c. Rhoi'r 3c o newid yn y boced fach yn fy mag.

4. Gadael Stryd Maengwyn a throi i mewn i'r fynwent. Dyna'r llwybr cyflymaf i Ffordd Deiniol, lle rydw i'n byw, ac mae cerdded ffordd yna yn golygu 'mod i ddim yn gorfod pasio'r safle bws a gweld y plant ysgol. Dydw i ddim yn hoffi pasio'r plant ysgol.

5. Dod o hyd i'r aderyn. Gwell i mi esbonio ychydig mwy ar hyn.

Roeddwn i'n cerdded yn eithaf araf gan ei bod hi'n braf a minnau'n bwyta fy losin (mynd o'r tywyllaf i'r goleuaf – y rhai du, yna'r rhai coch, yna'r rhai gwyrdd, yna'r rhai oren, yna'r rhai melyn). Hefyd, roedd y merched o fy nosbarth yn arfer cerdded o fy mlaen i, felly roeddwn i am roi digon o amser iddyn nhw fynd o'r ffordd fel 'mod i ddim yn gorfod eu gweld nhw.

Roeddwn i'n cerdded ar hyd y llwybr sydd wrth ymyl y beddau mwyaf diweddar pan welais i rywbeth yn symud.

Bronfraith oedd yna.

Rydw i'n gwybod am adar achos pan oeddwn i'n fach, byddwn i'n gwneud rhestrau am adar. Rhestrau OBSESIYNOL byddai Miss Eleri yn dweud. Felly rydw i'n adnabod yr adar i gyd. Hefyd, gan mai fy enw i yw Eos, sydd hefyd yn enw ar aderyn, rydw i'n teimlo y dylwn i wybod am yr adar bach eraill i gyd.

Weithiau, bydd Dad yn fy ngalw i'n aderyn bach, ac mae'n dweud na ddylwn i byth deimlo 'mod i mewn cawell. Un tro, pan oedd y merched yn fy nosbarth wedi bod yn galw enwau arna i a rhoi pethau afiach yn fy mag, fe ddywedais i fod yr ysgol fel cawell, a'r dref, a phawb yn y byd. Fe wylodd Dad, felly dydw i ddim wedi dweud pethau fel 'na wedyn.

Beth bynnag, roeddwn i'n gwybod mai bronfraith oedd yr aderyn, am mai peth bach tew oedd e, yn frown ar y top gyda smotiau brown tywyll ar ei fola gwyn. Ond roedd rhywbeth yn bod arno. Roedd e'n gorwedd ar ei ochr, ac yn symud mewn ffordd ryfedd, fel pe bai e'n methu codi ar ei draed na hedfan i ffwrdd. Felly fe es i'n agosach ato.

Doedd e ddim yn edrych yn ofnus i 'ngweld i, ond mae'n anodd gwybod a yw aderyn yn teimlo ofn. Dydw i ddim yn dda iawn am ddeall beth mae pobl nac anifeiliaid nac adar yn teimlo dim ond wrth edrych arnyn nhw.

Roedd e'n gorwedd ar fedd eithaf newydd (carreg lechen, *Bryn Ellis Jones, 18/9/1937 – 22/9/2015. Hedd perffaith hedd*). Felly fe es i'n agos agos. Roedd y fronfraith yn trio dianc, ond yn methu.

Rydw i'n gwybod ei bod hi weithiau'n garedig i ladd anifeiliaid pan ydych chi'n eu gweld nhw mewn poen mawr. Os ydych chi'n siŵr eu bod nhw'n mynd i farw beth bynnag, mae'n well i chi eu lladd nhw'n syth rhag ofn iddyn nhw ddioddef poen am amser hir. Fe wnaeth Dad hynny gyda llygoden oedd wedi bwyta gwenwyn. Roedd e'n dweud ei fod e'n methu dioddef edrych arni. Ond dydw i ddim wedi lladd dim byd o'r blaen, a doeddwn i ddim am frifo'r fronfraith.

Codais yr aderyn yn fy nwylo. Ceisiodd estyn ei adenydd, ond doedden nhw ddim yn gweithio. Roedd yr un ar y chwith yn edrych fel petai wedi torri i gyd.

Arhosais yn llonydd, llonydd, a theimlo pwysau'r peth

bach yn fy llaw. Roedd e'n symud dipyn bach, ond roedd e mor ysgafn. Wyddwn i ddim fod peth byw yn gallu bod mor ysgafn â hynny.

Codais ar fy nhraed. Roedd gen i restr newydd yn fy mhen.

Beth i'w Wneud Gyda'r Aderyn

1. Rhoi enw iddo. Roedd Bryn yn enw da, gan mai ar fedd Bryn Ellis Jones ddes i o hyd iddo fe. Wrth gwrs, efallai mai benywaidd oedd Bryn, ond doedd dim ots.

2. Mynd ag e adref. Doedd gen i ddim bocs bach i'w gario, felly byddai'n rhaid i mi ei gario yn fy nwylo.

3. Mynd i'r garej i chwilio am hen dwba hufen iâ yn gartref iddo fe. Byddwn i'n gallu gwneud rhyw fath o nyth gyda gwair o'r ardd.

4. Edrych ar y we am beth i'w wneud gydag e. Roeddwn i'n gwybod bod adar yn hoffi ffrwythau meddal, felly byddwn i'n gallu torri rhai o'r rheiny iddo.

5. Aros i Dad ddod adref o'r gwaith a gofyn iddo beth ddylwn i wneud.

Yn anffodus, rhwng pwynt un a dau ar y rhestr,

digwyddodd rhywbeth annisgwyl. Roeddwn i'n cerdded mas o'r fynwent gyda Bryn yn fy nwylo pan welais i'r merched cas o fy nosbarth yn eistedd ar y fainc tu fas i'r eglwys.

(Y merched cas:

Caryl, sydd yn chwerthin bob tro rydw i'n siarad. Er 'mod i ddim yn siarad llawer.

Naomi, sydd yn galw enwau fel 'idiot' a phethau gwaeth arna i.

Cari, sy'n fy nghicio i weithiau ac yn taflu pethau ata i.)

Cododd y tair yn syth a dod ata i, er 'mod i'n brysio i ffwrdd.

"Be sy 'da ti nawr?" gofynnodd Cari gyda gwên.

Mae hi'n rhyfedd fel 'na, oherwydd mae pobl i fod i wenu pan maen nhw'n hapus, ond mae hi'n hapus pan mae'n dweud pethau cas, neu ar fin gwneud rhywbeth creulon.

"O, god! Ma 'da 'ddi aderyn *manky*!" gwaeddodd Naomi.

Dechreuais gerdded yn gyflymach, bron â rhedeg. Doeddwn i ddim yn hoffi'r ffordd roedd fy nghalon i'n teimlo pan oedd y merched o gwmpas.

"O, iyc! Ma fe 'di cachu ar ei llaw hi!" Dechreuodd Caryl chwerthin. "Eos, ti'n *gross*, ti'n gwbod."

Doedd dim ots gyda fi fod Bryn wedi gwneud hynny ar fy llaw. Roeddwn i am fynd adref. Dechreuais redeg, a wnaeth y merched ddim fy nilyn i. Roeddwn i'n gallu eu clywed nhw'n chwerthin ac yn rhegi y tu ôl i mi.

Ar ôl i mi gwblhau pwyntiau 3 a 4 ar fy rhestr, fe wnes i rywbeth anarferol iawn, a newid fy nghynllun. Roedd gen i ofn y byddai Dad yn gwneud beth wnaeth e â'r llygoden i Bryn, ac er 'mod i'n gwybod mai ceisio gwneud y peth iawn fyddai e, doeddwn i ddim eisiau i fy amser i a Bryn ddod i ben. Felly es i â'r aderyn lan i fy ystafell yn yr hen dwba hufen iâ, a rhoi mafon iddo fe ac ychydig o ddŵr.

Roeddwn i'n hoffi'r ffordd roedd e'n teimlo yn fy llaw. Roedd e'n crynu ychydig bach, ac roedd e'n teimlo mor fyw rywsut.

Ddywedais i ddim wrth Dad am y fronfraith pan ddaeth e adref. Wnes i ddim dweud dros swper chwaith, na gyda'r nos. Roedd Bryn yn saff yn ei focs ar fy nesg. Doedd dim angen dweud wrth neb.

Yn y gwely'r noson honno, meddyliais am Eos a'r fronfraith, ac mor ddigri oedd hi fod adar yn dod at ei gilydd fel 'na.

***

Doeddwn i ddim yn gallu cwblhau fy Rhestr o Bethau i'w Gwneud yn y Bore y diwrnod wedyn, oherwydd cefais fy neffro am 5.56 gan Bryn. Roedd gwyrth wedi digwydd. Dros nos, roedd e wedi gwella, ac roedd e'n hedfan o gwmpas fy ystafell wely fel pe bai e'n mygu heb ryddid.

Fel arfer, dydw i ddim yn hoffi pethau yn hedfan o 'nghwmpas i – adar bach a philipalod a gwyfynod – ond roeddwn i'n hoffi gweld Bryn yn gwibio o gwmpas fy ystafell. Codais a mynd draw i agor y ffenest yn llydan. Roedd y byd yn dal i gysgu tu fas.

Saethodd y fronfraith drwy'r ffenest, a diflannu'n syth. Sefais yno am ychydig, yn meddwl amdani, yn ceisio dychmygu sut deimlad fyddai cael adenydd a gallu hedfan uwchben y sŵn i gyd.

Sbwriel

Jon Gower

ER MWYN CYRRAEDD ei gartref newydd yng Nghasnewydd roedd Abdi wedi gorfod croesi naw afon, dau anialwch, tri chyfandir, ymladd cŵn gwyllt a cherdded dwy fil o filltiroedd. Heb anghofio croesi môr gwyllt mewn cwch rwber gyda deugain ffoadur arall. Doedd e ddim yn siŵr i ble roedd yn mynd, dim ond beth roedd yn gadael ar ei ôl... y tŷ wedi ei fomio, a'i rieni'n farw dan y dwst. A gadael y gair 'cartref' ar ei ôl. Yn bell iawn yn ôl.

Wrth gerdded at y bws fyddai'n ei gludo o un ddinas fawr i fywyd newydd mewn dinas arall gallai Abdi weld bod pawb yn cario bag ar ei gefn a phob un wedi ei addurno â geiriau megis 'Harry Potter' a symbolau hud *Star Wars, Beauty and the Beast, The Simpsons*. Ond ni allai ddarllen na deall yr un ohonynt gan eu bod mewn iaith od. Credai nad oeddent yn cario eu holl eiddo fel roedd e, bachgen bach oedd wedi ffoi rhag rhyfel a chroesi sawl cyfandir heb na rhiant nac oedolyn i helpu. Pa mor bell? Pwy a ŵyr? Roedd e wedi blino. Roedd e wedi ei flino gan ofn.

Cariai Abdi un bag plastig yn unig dan ei gesail – crib, pâr o sandalau plastig, llyfr o luniau ac allwedd i ddrws rhywle yn ei orffennol – ac felly roedd yn gorfod gwarchod hwnnw oherwydd roedd 'na ffoaduriaid tlawd iawn, iawn, rhai heb sandalau nac allwedd hyd yn oed, fyddai'n cael eu dwyn oddi arno heb feddwl ddwywaith.

Ni allai ddarllen yr enw ar flaen y bws, ond deallai fod lloches iddo yno, yn 'Newport' – sef lle diogel, er bod 'lloches' yn air digon gwag o ystyried rhai o'r llefydd y bu'n aros ynddynt ar ei grwydr ar draws Ewrop. Yn un lle fe wnaeth dyn ymosod arno gyda chyllell cyn lluchio cynnwys ei fag i'r stryd i ganol y llaid. Collodd yr unig lun oedd ganddo o'i rieni, y ddau wedi diflannu wedi i fom droi ei gartref yn fynydd o ddwst.

Ar ôl brecwast yn yr hostel roedd Abdi i fod i gael sesiwn gyda swyddog o'r cyngor ond roedd hi'n rhedeg yn hwyr. Felly gofynnodd Abdi a gâi fynd allan i weld y 'Newport' yma, y gair yn teimlo'n od yn ei geg, fel blas bwyd. Ni allai'r porthor yn yr hostel weld rheswm i'w gadw i mewn, ac yntau wedi croesi Affrica, rhan o Asia a thros Ewrop gyfan ar ei ben ei hun i gyrraedd yma.

Eisteddodd Abdi ar fainc mewn llecyn o haul gan

edrych ar hen ddyn yn codi sbwriel i mewn i droli metal. Pan gyrhaeddodd y dyn, eisteddodd y pen arall i'r fainc a glanhau ei ddwylo gyda hances. Cynigiodd hanner brechdan i Abdi ac wrth iddo weld pa mor gyflym y llowciodd y bachgen bach y bwyd cynigiodd yr hanner arall, ac yna afal a bisged siocled. Diflannodd y cyfan mewn chwinc.

Edrychodd yr hen ŵr ar y boi bach yn gwneud ystum gyda'i ddwylo oedd yn golygu diolch – cyffwrdd ei wefus gyda thri bys. Gwnaeth yr hen ddyn yr un peth, gan wneud i'r crwtyn chwerthin. Nid oedd wedi gwenu na chwerthin ers dechrau ei daith.

Yn sydyn dyma'r hen ddyn yn estyn i mewn i'r cart a chodi tri darn o bapur sbwriel oddi ar lolipop Fab, Magnum Double Caramel a Twix gan eu sythu ac yna eu plygu nhw yn araf ond yn sicr. Doedd gan Abdi ddim syniad yn y byd beth oedd yr hen ŵr yn ei wneud ond roedd pleser i'w gael o weld yr holl ystumiau – gosod y sbectol ar flaen ei drwyn, craffu fel hebog yn asesu llygoden faes, gwneud un darn fflat o bapur a'i blygu ar hyd llinellau anweledig.

"Yn Siapan maen nhw'n plygu papur i wneud y

pethau mwyaf prydferth. Origami," esboniodd yr hen ŵr.

Yna, gan symud ei fraich fel consuriwr, dyma'r hen ddyn yn dangos ei fod wedi creu triawd o awyrennau papur, wrth iddo eu taflu nhw fesul un i fyny i'r awyr.

Hedfanai pob un yn gryf ac yn sicr ond eto mewn ffordd wahanol... un yn mynd fel dart, un arall yn codi megis hofrennydd a'r un ola'n disgyn i'r ddaear mor araf, gan chwyrlïo'n dawel wrth gyrraedd y llawr.

Cafodd Abdi deimlad od yn ei stumog o weld y papurau'n hedfan, fel petai'n sefyll ar wyneb y lleuad ac yn edrych ar ddynion yn glanio yno, neu'n sefyll ar ben Eferest yn edrych ar y byd yn ymestyn fel map o'i flaen. Doedd edrych ar y gŵr yn creu'r awyrennau prydferth gyda'i hen, hen ddwylo yn ddim llai na gwyrth.

Lledaenodd gwên lydan, lawn dannedd gosod, ar draws wyneb crychlyd yr hen ŵr. Ystumiodd dri gair – yfory, ti, dysgu. A deallodd y crwt ifanc bob gair a thyfodd gwên lydan ar ei wyneb yntau.

Ni lwyddodd Abdi i gysgu'n dda iawn y noson honno oherwydd yr ofn arferol a fyddai'n setlo fel rhywbeth sur yn ei stumog, o geisio cysgu mewn man anghyfarwydd arall. Doedd e ddim yn hoff iawn o gysgu, oherwydd roedd hynny'n golygu y byddai'r hunllefau yn dod. Byddai'r nos hefyd yn rhoi cyfle i leidr fynd ar ôl ei fag, hyd yn oed os defnyddiai'r bag hwnnw fel clustog.

Yn y bore bu'n rhaid iddo eto gwrdd â'r fenyw o'r cyngor a ofynnodd lwyth o gwestiynau iddo drwy gyfieithydd tra'i fod yntau ar bigau'r drain eisiau mynd allan i chwilio am yr hen ŵr.

Roedd yr hen ŵr yno, yn gweithio'i ffordd ar hyd yr afon.

"Trefor," meddai'r dyn glanhau wrth estyn ei law.

"Abdi," atebodd Abdi, wrth gynnig darn mawr o bapur gwyn roedd wedi cael hyd iddo ar ymyl yr hewl.

"O, bydd hwn yn gwneud alarch da," dywedodd y dyn, cyn sylweddoli nad oedd yn gwybod sut i ystumio alarch, ar wahân i awgrymu maint yr aderyn a fflapio'i freichiau megis adenydd. Yna dechreuodd greu, ei fysedd yn symud yn gyflym ac yn sicr. Ond hyd yn oed ar ôl iddo orffen doedd Abdi ddim callach beth oedd y siâp nes i Trefor ei dywys i lecyn tawel ar lan afon Wysg lle hwyliai dau alarch tuag atynt i ddisgwyl bwyd. Yna, taflodd yr hen ŵr yr alarch papur roedd e wedi ei blygu a hedfanodd yn gryf ar draws yr afon gan lanio'n uchel ym mrigau'r coed.

Rhannodd ddwy frechdan eto – roedd gwraig Trefor wedi gwneud pentwr ohonynt ar ôl i'w gŵr ddisgrifio llygaid newynog y crwt.

Bu Trefor ac Abdi yn cwrdd bob dydd ar ôl hynny gan drosglwyddo sgiliau origami'r meistr i'w ddisgybl, nes ei fod yn dechrau creu creaduriaid rhyfedd a rhyfeddach fyth.

Bythefnos ar ôl iddynt gwrdd dyma Abdi'n ceisio esbonio wrth Trefor ei fod yn gorfod symud ddeng milltir i ffwrdd, wrth geisio plygu'r creadur mwyaf uchelgeisiol allan o bapur i blesio'r hen ddyn.

Dyma Abdi'n plygu a thorri a phlygu drachefn gan gymryd ei amser a gweithio'n bwyllog fel rocdd Trefor yn awgrymu. Ac ar ôl dwy awr o ganolbwyntio roedd siâp corff ac adenydd y creadur yn ymddangos. Dyma'r hen ŵr yn tynnu un anadl ddofn o bleser a boddhad wrth weld beth roedd ei brentis disglair wedi ei greu o ddau ddarn o bapur coch, sef clawr a gwaelod bocs mawr o Maltesers.

Draig! Draig fawr gyhyrog!

A dyma'r hen ŵr o Gasnewydd a'r dyn ifanc o wlad bell yn cymryd un adain yr un a chodi'r bwystfil papur yn uchel yn yr awyr cyn ei daflu. Ond yn wahanol i bob un o anifeiliaid yr hen ŵr dyma'r ddraig yn codi a dal i godi, gan hedfan yn uwch ac yn uwch ac yn uwch.

Cododd mor uchel â'r coed, a'r gynffon goch yn glir yn erbyn cefndir gwyrdd y dail. Ac yna, gan barhau i estyn yr adenydd dyma'r creadur anhygoel yn cael ei ddal gan y gwynt, a'i sgubo draw dros y toeau, a chodi'n uwch eto, nes ei fod ar fin torri'n rhydd i'r cymylau.

Ar y ddaear, ar y stryd, ar wyneb y blaned, syllai'r ddau yn gegrwth, wrth i'r anifail papur hedfan yn rhydd, ei adenydd yn curo fel injan.

Yn codi ymhlith y gwylanod ac yn eu dychryn.

Wrth iddo dorri'n rhydd. Yn hollol, hollol rydd.

Safodd y ddau yno'n gwylio'r ddraig yn troi'n smotyn, wedi eu huno gan falchder a chyfeillgarwch. Gwenai Trefor ac Abdi yr un pryd. A gwylio a gwylio.

Nes bod y ddraig wedi ei throi'n smotyn bach, yn ddim byd mwy nag atalnod llawn.

Snap!

Meleri Wyn James

"**B**ETH?!"

Aeth Marged yn dawel, a llyncu ei phoer fel petai'n llyncu switsen fawr. O, na. Roedd hi wedi agor ei cheg fawr ac wedi rhoi ei throed ynddi go iawn.

"Beth wedest ti?!" gofynnodd Lili-Rose eto i'w ffrind. Sgriwiodd ei hwyneb fel darn o bapur ar ei ffordd i'r bin, nes bod ei thrwyn smwt yn sticio mas fel corn mawr ar fin canu.

Tawelodd y merched i gyd. Yr un merched oedd wedi bod yn giglan fel gwrachod eiliadau yn ôl, wrth i Lili-Rose wneud beth roedd hi'n ei wneud. Gwneud y peth oedd yn sbort fawr i bawb... Yn nhoiledau'r merched... Er bod pawb yn gwybod yn iawn ei fod yn beth hollol stiwpid i'w wneud.

Am eiliadau, tawelodd Lili-Rose gegog hyd yn oed. Ond roedd ei mudandod hi mor uchel â lori ailgylchu yn torri'r tawelwch am bump y bore.

Roedd y byd fel petai wedi stopio. Fel eiliad wedi ei dal mewn *selfie* ffôn.

Dim ond hi – hi, Marged – oedd â'r gyts i'w ddweud e. Y lleiaf ohonyn nhw i gyd – yn gorfforol, ta beth. Dweud y peth roedd pawb yn ei wybod. Yn gwybod yn iawn. Hi, Marged, feiddiodd lefaru'r un gair bach yna roddodd stop ar y dwli danjerys…

"Stop!"

A gwthiodd ei sbectol i fyny ei thrwyn. Teimlai'n sâl.

Yna, swishodd Lili-Rose ei gwallt hir hyd at ei phen ôl a syllu ar Marged gyda'r ddwy fwlet fach dywyll. Roedd hi'n nabod yr edrychiad yna yn iawn. Ac fe ddaeth llun i feddwl Marged oedd wedi bod yn cuddio yn ei chof plentyn ers blynyddoedd. Llun a darodd ergyd i'w bol.

SNAP!

"'Na neis! Chi'ch dwy'n dechre ysgol yr un diwrnod." Gwenodd Mam ar Marged, ac ar y ferch fach arall. Y ferch â'r trwyn smwt fel ci bach a'r gwallt hir yn ffrydio dros ei hysgwyddau.

Llithrodd y sbectol i lawr ei thrwyn a gwthiodd Marged hi'n ôl i fyny. Tynnodd ar ei gwallt di-ddim i weld a allai fod yn hirach. Fe fydd hi'n neis cael ffrind, meddyliodd Marged. Ffrind newydd ar ei diwrnod cyntaf erioed yn yr ysgol. Efallai nawr y byddai'r gwningen fawr yna'n stopio drybowndian yn ei bola bach. Gwenodd Marged ar y ferch. A gwenodd y ferch yn ôl. Llinell o wên, gan godi ei gên, a'i llygaid yn edrych i lawr arni fel petai'n edrych ar faw.

Gwên.

Ie, gwên oedd hi, ontefe?

Cotiau. Gwisgwch eich cotiau. Byddai Mam yma i'w nôl hi mewn dim a fedrai Marged ddim aros. Un fraich, dwy fraich, fel yr oedd wedi cael ei dysgu. Pilipalod pinc yn hedfan ar hyd bob braich, yn barod i fynd â hi adre. Wwwsh! Roedd y gwningen yn ôl yn ei bol. Ond roedd hynny'n deimlad da y tro hwn. Roedd Mam ar ei ffordd i'w nôl hi.

"Be ti'n neud?" bachodd ei ffrind newydd yn ei braich.

"Gwisgo cot," atebodd Marged.

"Tynna hi bant. Un fi yw honna."

Siglad fach.

"Tynna hi bant. Nawr. Neu bydda i'n dweud wrth Miss bo ti'n dwyn."

Ond fy nghot i yw hi, meddyliodd Marged. Ei llygaid yn byllau, yn nofio gan ddagrau wrth iddi dynnu'r pilipalod pinc oddi ar ei breichiau. Un, dwy fraich. Fel yr oedd wedi cael ei dysgu.

Cipiodd Lili-Rose ei chot a'i gwisgo'n araf ac yn falch. Ei gên yn codi. Ei llygaid yn esgyn. Llithrodd y sbectol i lawr trwyn Marged. Gwthiodd hi i fyny. Dyna pryd y gwelodd fflach o binc. Ar lawr. Pilipala pinc, ac un arall, ac un arall. Gwelodd Lili-Rose y got ar lawr hefyd. Damshgelodd arni. Gwelodd yr enw, ble bu y traed – Marged.

Edrychodd Lili-Rose ar y ddwy got pilipalod pinc a sibrwd, "Paid copïo fi." A gwenu.

SNAP!

"Dim plant bach y'ch chi nawr. Plant mawr… gyda ffôn yr un… cyfrif Instagram… Snapchat… tudalen Facebook…"

Roedd Mrs Pachis yn cael hwyl yn pregethu arnyn nhw… I Marged, roedd fel bod 'nôl yn yr ysgol fach. Gwingai yn ei chadair galed er nad oedd hi wedi gwneud dim byd o'i le. Nid Marged oedd yr unig un oedd yn anesmwytho. Roedd sawl pen yn ei blu, yn amddiffynnol. Rhai'n rholio eu llygaid. Ambell un yn clirio gwddf yn dawel. Yn codi aeliau. Yn anfodlon.

"Mae'n rhaid bod yn gyfrifol ar y we." Tasgodd pob gair o geg Mrs Pachis, mor danllyd â'i mop o wallt gwyllt. "Ystyried pwy sy'n eich gwylio chi ar y pethe 'ma... Dy'ch chi ddim yn gwybod, ferched, pwy yw'ch cynulleidfa chi... Mae grym mawr ar flaen eich bysedd chi... rhaid i chi ei drin yn gyfrifol... Chi'n deall?"

Cerddodd Mrs Pachis yn ôl ac ymlaen. Stopiodd yn sydyn a syllu arnyn nhw.

"Neu... Fydd DIM parti diwedd tymor."

SNAP!

Llyncodd Marged ei phoer a mynd atyn nhw.

Gang fach o ffrindiau. Haid o wrachod yn sibrwd o dan eu hanadl.

"*Seriously*, beth O'DD hi'n meddwl o'dd hi'n neud?" gofynnodd Lili-Rose, gan chwarae gyda'i gwallt hir.

Gwthiodd Marged ei sbectol i fyny ei thrwyn. Gwelodd Lili-Rose hi.

"Ie?" blastiodd.

Llyncodd Marged. "O'n i 'di bod yn meddwl gofyn i ti – y, beth wyt ti'n wisgo i'r parti?"

"Pam? Fel bo ti'n gallu copïo fi, ife?"

"Wel, nage…"

"Cym-on, Marged. Ti 'di bod yn copïo fi ers ysgol fach."

Edrychodd Lili-Rose i lawr ei thrwyn arni.

"Ti wna'th, ontefe?" gofynnodd gan swisho ei gwallt.

"Fi? Nage. Sai 'di neud dim byd," protestiodd Marged.

"O't ti 'na, yn y toiled, wythnos diwetha. Yn sbwylo'n sbort ni i gyd. 'Paid tynnu llunie ar dy ffôn, Lili-Rose. Smo ti'n gwbod pwy fydd yn gweld nhw'!" Poerodd yn ddirmygus. "Ac wythnos 'ma – ni'n cael stŵr 'da'r dirprwy am beryglon rhoi llunie 'amheus' ar y we. Cyd-ddigwyddiad? Sai'n meddwl 'ny, wyt ti?"

Fe fyddai'r hen Marged wedi bod yn dawel. Roedd hi'n siŵr o hynny. Ond heddiw clywodd ei llais yn dod o rywle, yn cryfhau wrth iddi fynd ymlaen. Dweud ei dweud, yn onest. Gwneud ei phwynt. Wel, roedd hawl ganddi hi i'w barn hefyd.

"Jyst gweud wnes i," meddai Marged. "Smo ti'n gwbod pwy fydde'n gweld y llunie yna. Ma pob math o bobol ar y–"

Snapiodd Lili-Rose.

"O, tyf lan, wnei di, Marged!"

Tarodd Lili-Rose ei chorff yn erbyn corff Marged a'i gwthio allan o'r ffordd. Aeth y gwynt o ysgyfaint Marged, nid oherwydd yr ergyd gorfforol, ond oherwydd iddi fod mor ddewr. Roedd hi'n dweud y gwir wrth Lili-Rose – ddywedodd hi'r un gair wrth neb am beth ddigwyddodd yn y toiledau, er y gwyddai y dylai rhywun fod wedi dweud wrth Mrs Pachis. A pham na ddylai hi?

SNAP!

Gallai glywed y twrw yr ochr arall i'r drws. Y merched yn mwynhau. Gwrachod yn creu castiau. Ac fel sy'n digwydd wrth weld llun, cafodd Marged ei thywys yn ôl at y diwrnod hwnnw yn y toiledau... Lili-Rose ar ei gorau... yn mynd un cam yn rhy bell. Beth oedd yn bod ar ychydig bach o hwyl diniwed yng nghanol diwrnod hir o wersi diflas?

Amser cinio. Y merched yn chwarae ambytu. Pob ciwbicl yn llawn. Ambell ddrws ar agor. Un neu ddwy arall yn dawnsio am eu bod yn methu aros i fynd i bi-pi. Gwatwar a chwerthin. A Lili-Rose yn arwain y chwarae. Fel arfer. Ei ffôn yn ei llaw. Yn paradan yn ôl ac ymlaen ar hyd y toiledau, yn bygwth tynnu lluniau. Sgrechian y lleill. Joio mas draw. A'r ymateb yn annog Lili-Rose, yn ei gyrru ymlaen. Estyn ei breichiau, uwchben drysau'r ciwbicls. Snap! Snap! Snap! Tynnu lluniau o'i mêts, yn hanner noeth ar y toiledau. Pawb yn eu dyblau. Yn chwerthin nes eu bod yn dost. Yn amddiffyn eu hunain, nes i un llais roi stop ar y dwlu.

SNAP!

Yn ôl yn y parti, anadlodd Marged yn ddwfn a gwthio drws y toiled ar agor, er y gwyddai na fyddai croeso iddi hi. Clywodd leisiau'r lleill yn hel clecs.

"O'n nhw'n snogan!"

"Pwy?"

"Anya a Joe!"

"Wwww!"

"Yyyy!"

"Mmmm."

"Ha-ha-ha-haaa!" Chwerthin mas draw. Joio. Pob un â gwydr mawr yn ei law.

Yna, stopiodd y sŵn wrth iddyn nhw sylweddoli bod ganddyn nhw gwmni. Marged yn ei sbectol, ei gwallt yn hir ac yn llaes dros ei hysgwyddau noeth. Y ffrog yn dynn dros ei bronnau ac i lawr o dan ei phengliniau.

"*Oh my days*. Beth *wyt* ti'n gwisgo?" gofynnodd Lili-Rose yn wawdlyd.

"Brynes i ddi ar y we," meddai Marged.

"Hy. Ti *so* mas o ffasiwn."

"Hawl i bawb ei farn, sbo," atebodd Marged.

Syllodd Lili-Rose arni'n gegagored. Yfodd lond ceg o'r ddiod. Yna, arllwysodd yr hylif o'r gwydryn plastig ac i mewn i'r toiled agosaf. Estynnodd y cwpan gwag i mewn i'r bowlen tŷ bach. Sblash! Allan o'r dŵr a hyrddio llond gwydr o hylif melyn dros ben Marged, nes bod ei gwallt hir a'i ffrog newydd yn stremps gwlyb.

Hy!

Stopiodd pob dim am eiliad llun llonydd.

Sioc. Oerni. Gwlypter. Drewdod. Teimlodd Marged y pethau hyn i gyd wrth sefyll yna'n stond.

Ei sioc hi. A'u sioc nhw. Yna, yn y pellter, clywodd furmur ac ambell chwerthiniad tawel.

"Wps," meddai Lili-Rose.

SNAP!

"Beth yn y byd sydd wedi digwydd i ti?"

Fflachiodd trwy feddwl Marged i ddweud 'dim byd'. Ond 'snap' fel clec camera ffôn, fe ffeindiodd ei llais.

"Lili-Rose, Miss. Fe daflodd Lili-Rose lond potel o ddŵr y toiled drosta i, nes 'mod i'n wlyb, ac yn drewi. Ac roedd hi'n tynnu lluniau. Ar ei ffôn. A'r lleill yn stêran. Mewn sterics."

Fe allai Marged ddychmygu beth fyddai Lili-Rose yn ei ddweud. Beth fyddai honna yn ei galw hi nawr? *'Snitch'*… *'Tell-tale'*… 'Tafod-rydd'… 'Heliwr clecs'… 'Ceg fawr'… yn un gadwyn o enwau cas.

Ond y gwir oedd bod yn well ganddi fod y pethau hyn i gyd na bod yn gwbwl gwbwl anghyfrifol. Yn anghyfrifol tost. Gwenodd Marged yn falch. Fe fyddai hi'n dangos i'r lleill pwy oedd wedi aeddfedu, a phwy oedd yn dal i fod yn styc yn ei chot ysgol fach.

***

"Wow. Beth sydd wedi digwydd i ti?"

Yn yr ysgol fore Llun y tymor newydd roedd y gang

wedi troi i edrych arni. Doedden nhw ddim yn disgwyl gweld ei gwallt llipa wedi ei dorri yn fyr, y ffrinj hir yn sgubo ar hyd ei thalcen ac i lawr dros dop ei sbectol.

"Dim byd. Fi yw hi o hyd."

Gwthiodd Marged ei sbectol i fyny i dop ei thrwyn. Gwelai o'r newydd. Cododd ei gên yn uchel, yn falch, a cherdded ymlaen gan wenu'n hapus.

Cymer Hwn!

Miriam Elin Jones

MAE GEN I broblemau, *apparently*. Problemau mawr.

Dwi'n siŵr fod gennych chi broblemau hefyd – whare teg, mae gan bawb broblemau – ond galla i addo i chi, mae 'mhroblemau i'n HIWJ. Dwi wedi gorfod mynd i weld cwnselydd a phopeth. Ac fel wedodd Mam-gu, nid ar whare bach mae pobl yn cael eu danfon i siarad am stwff fel 'na gyda rhywun fel 'na.

Dechreuodd popeth pan droais i'n un deg pedwar oed. Roedd Mam a finnau'n cwympo mas 'to – ni wedi bod fel ci a hwch ers i Dad adael – felly penderfynais redeg bant. Roeddwn i'n rhedeg bant ddwywaith yr wythnos o leiaf yr adeg honno, ac fel arfer, i dŷ Mam-gu ro'n i'n mynd. Ond y tro hwn, roeddwn i'n rhedeg bant go iawn. I ble, doedd gen i ddim clem, ond y stop cyntaf oedd yr archfarchnad.

Pam yr archfarchnad? Am 'mod i wedi bod yn ddigon stiwpid i redeg bant cyn amser swper. Roeddwn i'n starfo. Felly roedd rhaid i fi gael rhywbeth i'w fwyta, cyn

penderfynu at bwy y byddwn i'n troi yn fy *hour of need*.
Roeddwn am fynd at Lisa a'i mam i aros. Roedd mam
Lisa'n angel. Doedd hi ddim yn hen bitsh fel fy mam i.
Doedd mam Lisa a Lisa ddim yn cwympo mas am dreiglo
a stwff. 'Na pam gwympodd Mam a finnau mas y tro
hwnnw. Wedodd hi fod fy Nghymraeg i'n *disgusting*, ac
aeth hi'n *ape* pan ddwedes i fod *disgusting* yn air Saesneg.
Wnes i ddim helpu pethau drwy ddweud wrthi am fynd i
grafu chwaith... ond ddylai hi ddim fod wedi 'mhiso i off.

Roedd y silffoedd mêc-yp yn fy nenu – neu'r 'adran
golur', rhag ofn fod Mam yn gwrando. Roeddwn am gael
un pip olaf ar y *nail varnish* a'r lipstig na fydden i'n gallu
fforddio yn fy mywyd newydd fel cardotyn. Roedd popeth
mor lliwgar... Rimmel, Maybelline, pob un o'r pethau
pert yn sibrwd wrtha i fod angen i mi fod yn bert hefyd,
bod angen i mi gael *nail varnish* newydd... Roeddwn wedi
ffansïo'r lliw Rapid Ruby. Yr un lliw coch â gwin. Roedd
e'n lysh.

"Pryna fi," medde hwnnw wrtha i.

Ond doedd gen i ddim digon o arian i brynu hwnnw a'r
Yorkie fyddai'n llenwi 'mol.

Estynnais fy llaw i gydio ynddo beth bynnag...

Un peth bach. A fyddai Tesco rili'n gweld ei eisiau? Roedd yna ddegau o rai eraill yn union yr un fath ar ôl ar y silff. A fyddai rhywun cyfoethocach na fi'n dod i dalu crocbris amdanynt? Cyn i neb sylwi, gwthiais y farnis i 'mhoced, a chamu'n gyflym oddi yno.

Talais am y Yorkie – doeddwn i ddim am bwsho fy lwc – a gadael.

Am ryw reswm, roeddwn i'n disgwyl i gar heddlu fod wedi parcio y tu allan yn aros amdana i. Mi o'n i'n disgwyl larymau. *Loads* ohonyn nhw. A breichiau cryfion yn fy nal i lawr a gweiddi, 'Wow! Hold on, David John!' a'm llusgo i stafell gefn i gyfaddef y cwbl.

Ond doedd dim. Ddigwyddodd dim byd wrth i mi gamu'n gyflym allan o'r siop gyda'r farnis yn fy mhoced. Roedd yn hawdd. Yn llawer rhy hawdd.

Wrth gwrs, es i adref yn syth wedyn. *Couldn't be bothered* gydag esbonio'r holl gwympo mas i Lisa, ac yn ogystal â hynny, roeddwn i am beintio 'ngwinedd yn Rapid Ruby.

Ond, *obvs*, wnes i ddim stopio lladrata gydag un botel fach o farnis. Es i'n ôl y diwrnod wedyn i fachu rhywbeth arall. Pam lai? Doedd neb yn mynd i'm stopio i. Roedd e'n gwneud sens. Pwy oedd eisiau prynu pethau, pan allen i jyst mynd â nhw... Allwn i ddim dychmygu'r un o'r sombis sy'n gweithio yna yn rhedeg ar f'ôl i er mwyn mynnu 'mod i'n mynd â'r peth yn ôl. Doedd e ddim werth y chwysu. Fyddai'r un bonws i weision yr archfarchnad pe baen nhw'n gwneud yr ymdrech o ddod ar f'ôl. Ac am y dyn *security* wrth y drws... wel, gallai hyd yn oed dyn heb goesau redeg yn gynt na hwnnw! Roedd e fel morfil, yn eistedd wrth y drws yn gwgu ar bob cwsmer. Petai pethau'n mynd yn drech na fi, byddai'n ddigon rhwydd ei golli. Un cam a byddai e mas o bwff!

Roedd gen i lond drôr o bethau wedi eu dwyn. Wnes i ddim stopio gyda'r pethau bach chwaith. Llwyddais i ddwyn afal, banana a CD newydd Maroon Five, i gyd yr un diwrnod. Un tro, llwyddais i stwffio bocs cyfan o Celebrations o dan fy hwdi. Roedd bywyd yn grêt – ac am ryw reswm, doedd Mam a finnau ddim yn cweryla gymaint. Roeddwn i'n hapus gyda 'nhrugareddau newydd, a Mam yn hapus am fy mod i'n hapus, am *change*.

Wrth gwrs, nid prinder arian oedd yn fy ngyrru i wneud hyn. Roedd Mam yn ddigon parod i brynu stwff i fi – yn enwedig wedi i Dad adael. Wedodd Mam-gu taw *spoilt* o'n i. Wedodd y cwnselydd fod lot o bobl enwog yn 'mân-ladrata'. Shopliffto, hynny yw. Roedd Richard Madeley wedi gwneud, on'd oedd e? Pan aeth e'n dwl-ali-bop. Rhywbeth i'w wneud ag eisiau llwyddo, wedodd y cwnselydd, oedd fy mhroblem i. *Bored*, o'n i, a dweud y gwir. *Bored out of my brain* yn gwrando ar bawb arall yn mynd ymlaen am ba mor berffaith oedd eu bywydau bach nhw. Wedodd y cwnselydd 'mod i'n anhapus. Ddim yn cyflawni dim byd o werth (nid ei geiriau hi – roedd hi'n llawer mwy cwrtais am y peth), ac yn crefu am sylw Mam.

Wel, mi aeth Mam off ei phen y diwrnod gefais i fy nal. Ro'n i'n cael hen ddigon o sylw wedyn.

Y diwrnod hwnnw, heb yn wybod i fi, roedd y Morfil wedi cael y sac. Yn ei le, roedd model llawer ieuengach a chryfach. Sylwais arno wrth gerdded i mewn i'r siop. Roedd e'n dipyn o hync, a dweud y gwir, ond roedd e'n amlwg yn treulio llawer gormod o amser yn y *gym*. Roedd ei fysls yn ANFERTH, fel Rambo.

Pe bai gen i ddigon o sens, fydden i wedi ei heglu hi o 'na... ond roeddwn i'n *hooked*. Roeddwn i'n mynd mas gyda'r merched y noson honno, ac roedd rhaid i mi gael masgara newydd. Roedd fy hen un i wedi sychu, ac yn stico'n glwmps gludiog... Gallen i fod wedi ei brynu. Roedd fy mhwrs i yn fy mag... ond roedd fy mryd i ar *five finger discount*, a fy nwylo blewog eisoes am brofi i'r pons wrth y drws 'mod i'n glyfrach ac yn fwy cyfrwys na fyddai e fyth.

Gwthiais y masgara i 'mhoced, ac i ffwrdd â fi. Doedd wiw i mi gerdded yn rhy gyflym. Actio'n cŵl oedd y tric. Esgus nad oedd dim o'i le. Cerddais yn hamddenol braf tuag at y drws. Dim problem. Ymhen dwy funud, fydden i o 'na, ac allan yn yr awyr agored...

"Esgusodwch fi, Miss?"

Ac am y tro cyntaf erioed, canodd y larymau. Daeth breichiau i afael ynof. A doedd neb yn edrych yn hapus iawn. Ceisiais gicio a strancio, ond wrth gwrs, roedd hynny'n gwneud i mi edrych yn fwy euog fyth. A chyn iddynt fy llusgo i oddi yno i gefn car heddlu, sylwais ar fy mys canol yn ymestyn i fyny'n dalsyth, yn rhoi un sarhad olaf i'r archfarchnad, ac un arwydd arall i Mam a Dad.

Seren Wib

Ifan Morgan Jones

"**S**TOP BEING SUCH a Welsh Nash!"

Teimlodd Elfed bâr o ddwylo yn ei wthio o'r tu ôl a syrthiodd yn bendramwnwgl oddi ar y garreg lle bu'n eistedd a glanio'n swp ar lawr. Hyd yn oed cyn iddo daro'r llawr roedd yn gwybod beth oedd wedi digwydd. Roedd Callum Roberts, (flwyddyn yn hŷn nag o ac yn benderfynol o wneud ei fywyd yn uffern) wedi ei glywed yn siarad Cymraeg.

"He thinks he's better than us, talking like a teacher all the time," meddai un o ffrindiau Callum.

Trodd Elfed ac edrych i fyny. Gwelodd bod y ffrindiau y buodd ar ei ffordd adref o'r ysgol â nhw wedi ffoi, gan ei adael i wynebu ei ffawd ar ei ben ei hun. Ef oedd cocyn hitio Callum Roberts a'i giwed o fwlis bob tro.

Roedd Callum yn pwyso ar y garreg lle bu Elfed yn eistedd eiliadau ynghynt, un o'r cylch o gerrig o oes y Celtiaid a safai ynghanol y parc, â gwên gas ar ei wyneb.

"If I hear you speak Welsh again near me, I'll throw

you in there!" meddai, gan bwyntio bys fel sosej drwchus at adfail hen ffynnon wrth ymyl y llwybr. Yna camodd ato a chydio yn ei goler. "One more word..." Gallai Elfed deimlo ei anadl yn boeth ar ei wyneb. "Understand?"

"Ydw," meddai Elfed, yn ddifeddwl.

Ebychodd rhai o ffrindiau Callum, ac fe aeth y bwli yn goch. Cododd Elfed oddi ar ei draed gerfydd ei goler. Llusgodd ef at y ffynnon, a'i wthio i mewn. Estynnodd Elfed ei freichiau bob ochor iddo gan gredu y byddai'n syrthio'n bell. Ond doedd y ffynnon ddim yn ddwfn. Roedd corun ei ben yn uwch na'r ymyl.

"Stay there!" gorchmynnodd Callum.

Roedd gormod o ofn ar Elfed i symud. Pan ddaethon nhw'n ôl, dyma nhw'n gosod planciau pren dros gaead y ffynnon ac yna rhyw gerrig neu friciau ar y top. Roedden nhw wedi ei gau i mewn!

Arhosodd Elfed yn dawel am sbel, heb wneud dim ymdrech i ddianc. Gallai glywed Callum a'i gyfeillion o hyd, yn siarad a chwerthin. Pan giliodd eu lleisiau yn y pellter ceisiodd Elfed wthio'r planciau pren i fyny. Ond doedd dim symud arnynt.

"Help!" gwaeddodd. "Help!"

Roedd ei gefn yn brifo, ac roedd oglau annymunol fel hen fwsog pydredig yno. Ond ni ddaeth neb i'w achub. Ni allai unrhyw un ei glywed ond yr adar a'r gwiwerod.

Safodd yno am amser hir, ac fe ddechreuodd oeri. Ciliodd yr ychydig olau a oedd yn treiddio i mewn heibio'r planciau. Beth oedd ei rieni'n ei feddwl? Bydden nhw'n dod i chwilio amdano, siawns?

Yn sydyn, clywodd lais a dorrodd ar draws ei unigedd. Llais merch, yn gweiddi: "Tria eto!"

Yna, daeth sŵn fel peiriant torri gwair yn tanio. Dechreuodd y tir oddi tano ysgwyd. Ofnodd am eiliad fod Jac Codi Baw yn ceisio codi'r ffynnon o'r tir.

"Help!" galwodd.

Ond roedd y sŵn rhuglo a'r cryniadau yn rhy uchel i unrhyw un ei glywed. Teimlodd ryw bethau seimllyd yn rhedeg ar hyd ei fysedd i bob cyfeiriad. Pryfaid genwair, yn ymlusgo i fyny o'r tir dan draed, fel petaent yn ceisio dianc rhag y daeargryn bychan. Sgrechiodd Elfed drachefn: "Help!"

"Wôw! Stopia'r injan."

Tawodd yr ysgwyd a'r sŵn.

"Glywaist ti hynna?"

"Clywed be? Gad i ni ddal ati tra bod neb o gwmpas, neu fyddwn ni byth yn dianc..."

Llithrodd un o'r planciau pren oddi ar gaead y ffynnon. Gwelai amlinell pen gwalltog yn edrych i lawr arno.

"Be ddiawl wyt ti'n ei wneud mewn fan'na?"

Llais merch. Daeth golau o rywle gan oleuo ei hwyneb drwgdybus. Roedd coron o flodau ar ei phen.

Cododd Elfed a brwsio'r pridd, y deiliach a'r pryfaid genwair oddi arno. Roedd hi bellach wedi nosi. Rhaid ei fod wedi bod yno ers oriau maith. Yng ngolau'r lloer gallai weld dyn barfog yn sefyll y tu ôl i'r ferch, yn syllu'n hurt arno.

"Fyddech chi ddim yn fy nghredu i," meddai Elfed.

"'Sat ti'n synnu be fysen ni'n ei gredu," meddai'r dyn.

Cyn i Elfed gael ateb clywodd lais arall.

"Baaaaarod i fynd!"

Dychwelodd y sŵn unwaith eto, ond roedd yn fwy o ru y tro hwn. Ysgydwodd y llawr unwaith eto.

"Na, Seith!" gwaeddodd y dyn, gan ysgwyd ei freichiau'n orffwyll. "Rho daw arni! Mae 'na rywun yma!"

Ond roedd hi'n rhy hwyr. Ni allai Elfed gredu'r hyn

a welodd nesaf. Dechreuodd y cylch o feini hirion oedd gerllaw droelli, gan wasgaru pridd i bob cyfeiriad a throi fel chwyrligwgan, yn gyflymach a chyflymach. Yna, rhwygwyd twll anferth yn y llawr a hedfanodd llong ofod i'r awyr, a'r meini hir yn goron arno. Chwyrlïodd y llong ychydig fetrau oddi ar y llawr, gan wasgaru gwreichion amryliw fel enfysau bychain i bob cyfeiriad.

"W! Mae'n gweithio!" Agorodd drws ar dalcen y llong ac ymddangosodd pen ohono. "Ddudish i, yn do, Blod! Ta-ta i'r blaned 'ma, o'r diwedd!"

Trodd y dyn a'r ddynes i edrych ar ei gilydd, ac yna ar Elfed.

"Mae o wedi gweld gormod," meddai'r ferch. "Bydd rhaid tynnu ei ymennydd allan er mwyn dileu'r atgofion."

Camodd Elfed am yn ôl wrth i'r ddau edrych arno a golwg digon bygythiol ar eu hwynebau. Byddai'n well ganddo fod yn nwylo Callum Roberts na'r ddau yma.

"Tyrd," meddai'r ferch, a chydio yn ei law.

Bing!

Edrychodd Elfed o'i gwmpas yn syn. Roedd mewn powlen, ei waliau yn siffrwd ac yn tywynnu wrth i bob math o ddiagramau, cylchoedd a chyfarwyddiadau symud yma a thraw. Roedd y llawr dan ei draed yn dryloyw, a gallai weld y fan lle bu'n sefyll eiliadau ynghynt ychydig fetrau oddi tano.

Gollyngodd y fenyw ei law. Roedd y ddau ddyn arall yma hefyd.

"Pwy ydi hwn?" gofynnodd un.

"Rhyw fachgen oedd yn cuddio mewn ffynnon y tu allan," atebodd hi.

"Ydi o'n... gwybod?"

"Wel, mae o rŵan!"

Agorodd Elfed ei geg, ond fe'i caeodd eto. Ni allai ddod o hyd i'r geiriau rywsut.

"Lle? Sut? Pwy?" gofynnodd o'r diwedd.

"Lle – ar ein llong ofod," meddai'r dyn yn y cefn. "Sut – telegludiad. Pwy – Seithennyn, Blodeuwedd a Phwyll."

"P... pam?"

"Am dy fod ti yn y lle anghywir ar yr amser anghywir," meddai Blodeuwedd.

"Doedd dim rhaid i ti ddod â fo ar y llong, chwaith," dwrdiodd Seithennyn. "Ti 'di tynnu nyth cacwn i dy ben."

"Y cacwn sy'n dod ata i – dydi hi ddim yn hawdd pan wyt ti wedi cael dy wneud o flodau," atebodd hi'n biwis.

Roedd pen Elfed yn troi, ac nid yn unig oherwydd bod y llong ofod yn troelli. Roedd bellach wedi hedfan o'r parc a thros ben y mynyddoedd cyfagos. Edrychodd i lawr a gweld goleuadau pentrefi filoedd o fetrau oddi tanynt, ac yna amlinell Cymru gyfan, a theimlo'r cyfog yn codi o'i fol.

Edrychodd ar Blodeuwedd. Yn nhywyllwch y parc nid oedd wedi sylweddoli un peth amdani – roedd hi wedi ei chreu o flodau. Roedd pob gewyn o'i chorff wedi ei blethu at ei gilydd o goesynnau a blodau'r derw, y banadl a'r erwain.

"Ti isio llun?" gofynnodd hi wrth ei weld yn syllu.

"Chwarae teg, mae'r hogyn wedi drysu," meddai Pwyll. "Dylen ni ei adael ar ben y mynydd agosa."

"Rhy hwyr, 'dan ni bron â phasio'r lleuad yn barod," meddai Seithennyn. Pwyntiodd drwy gragen dryloyw'r llong wrth i arwyneb tyllog, claerwyn y lleuad hwylio heibio. "Bydd rhaid iddo ddod efo ni."

"I ble?" gofynnodd Elfed, yn llawn arswyd.

"Adra," meddai Blodeuwedd. "Yn ôl i'n byd ni ein

hunain. Ar ôl miloedd o flynyddoedd yn sownd ar y twll o blaned yna."

Doedd Elfed ddim yn deall. Roedd wedi clywed am Blodeuwedd, Pwyll a Seithennyn yn ei wersi Cymraeg.

"Ond enwau o hen chwedlau Cymru ydych chi, nid gofodwyr!"

"Hy!" meddai Pwyll. "Gorfod glanio ar y ddaear drwy ddamwain wnaethon ni, yn ein llong ofod. Ynghanol Bae Ceredigion. Fe fyddai popeth wedi bod yn iawn pe na bai Seithennyn fan hyn wedi anghofio cau'r drws. Mi wnaeth y llong suddo fel carreg i waelod y môr. Dim ond rŵan rydyn ni wedi cael gafael ar y dechnoleg i allu hedfan adre o'r diwedd."

"Gofodwyr ydyn ni'r Celtiaid, ti'n gweld," meddai Blodeuwedd. "Dyna pam mae ein cerrig a'n beddrodau ni'n grafiadau i gyd. Cyfarwyddiadau yn ôl i'n byd ni ein hunain oedden nhw, fel nad oedden ni'n anghofio."

Roedd y Ddaear yn ddim ond smotyn o olau yn y pellter erbyn hyn, yn un o filiynau o sêr a phlanedau a dywynnai fel gronynnau tywod ar gefndir du.

"Ond... os ydych chi'n dod o blaned arall, pam ydych chi'n siarad Cymraeg?"

"Dyna iaith swyddogol y Llwybr Llaethog," meddai Blodeuwedd.

Cododd Elfed ei aeliau. "Mae pawb ar eich planed yn siarad Cymraeg?"

"Mae hanner yr alaeth yn ei siarad hi," meddai Pwyll. "Mae'n anodd gwneud hebddi! A dweud y gwir, y Ddaear yw un o'r ychydig blanedau lle nad yw hi'n un o'r ieithoedd swyddogol."

"Mae'r Ddaear yn rhy bell allan o'r ffordd ac yn rhy gyntefig i unrhyw un drafferthu â hi," meddai Seithennyn. "Does neb byth yn mynd ar gyfyl y lle."

Trawyd Elfed gan hynny. "Ond os nad oes unrhyw un yn mynd ar gyfyl y Ddaear, sut ydw i am fynd adre?" Meddyliodd am ei fam a'i dad yn torri eu calonnau.

"Fe allen ni drio dy saethu di'n ôl drwy'r telegludiwr," meddai Seithennyn. "Ond mae braidd yn beryglus o'r pellter yma."

"Peryglus?"

"Ia, os oes yna rywbeth yn y ffordd – planed, asteroid, yr haul – fe allet ti lanio ar un ohonyn nhw yn lle'r Ddaear. Sblat!"

Cyffyrddodd Pwyll wal allanol y llong ofod. Newidiodd

y rhyngwyneb i ddangos seren a chyfres o blanedau o'i chwmpas. "Pa un oedd y Ddaear eto, y cynta 'ta'r ail o'r haul?"

"Y pumed, dwi'n meddwl," meddai Blodeuwedd.

Dechreuodd Elfed grynu drosto. "Y tryd—"

Ond roedd hi'n rhy hwyr. Teimlai fel pe bai ei gorff cyfan wedi toddi, a bod dim o'i flaen ond twnnel o stribedi golau. Gwyliodd sawl planed yn gwibio heibio, ac yna fe aeth yn syth glatsh i mewn i un ohonyn nhw.

Gwelai sêr, ond nid y sêr uwchben oedden nhw, ond sêr yn dawnsio o flaen ei lygaid. Ac yna gwelodd frigau'r coed. A lleisiau'n llenwi ei glustiau...

"Here he is!" gwaeddodd un ohonyn nhw.

Edrychodd Elfed o'i amgylch. Roedd yn ôl yn y parc. Trodd ei ben gan obeithio gweld un o'i ffrindiau, neu ei fam a'i dad. Ond un o gyfeillion Callum oedd yno, yn pwyntio ato.

"Hiding, were you?" gofynnodd llais atgas. Brasgamodd Callum ato. "How did you get out? Have you learnt your lesson?"

Edrychodd Elfed yn syn arno.

"Pa wers?" gofynnodd yn ddryslyd. Ni allai gofio rhyw

lawer am yr hyn a ddigwyddodd cyn ei wibdaith hynod drwy gysawd yr haul.

Ffromodd Callum. "To stop speaking that stupid, useless language no one speaks in front of me!" bloeddiodd.

Meddyliodd Elfed. Ac yna dechreuodd chwerthin. Meddyliodd am ba mor ddi-nod oedd y Ddaear yn ehangrwydd yr alaeth. Am faint o amrywiaeth pobloedd ac ieithoedd oedd allan yno, y tu hwnt i'w planed nhw. A hyd yn oed ar eu planed nhw, a dweud y gwir. Pwy oedd hwn i ddweud beth oedd yn ddi-nod, a beth oedd yn werthfawr?

"What are you laughing about?" gofynnodd Callum.

"Fe wna i ddal i siarad Cymraeg, diolch yn fawr," atebodd. "Mae'r un mor werthfawr ag unrhyw iaith arall. Ac fe wela i chi yn yr ysgol fory."

Cerddodd Elfed i ffwrdd. Ni allai roi taw ar ei chwerthin. Safodd Callum a'i gyfeillion yno, yn ceisio deall beth oedd y jôc. Ac ni wnaeth yr un ohonyn nhw fynd ar ei ôl. Os nad oedd ofn arno, ble'r oedd yr hwyl?

Cyn camu o'r parc a gweld boddi'r sêr dan olau lampau'r stryd, stopiodd Elfed a chymryd un cip arall arnyn nhw, a dychmygu'r holl fydoedd eraill y tu hwnt i'r hyn a wyddai ac a ddeallai ef.

Ar ba seren oedd Pwyll, Blodeuwedd a Seithennyn erbyn hynny?

Dweud y Gwir

Erin Aled

CERDDODD IESTYN AR hyd y llwybr troellog a'i ben yn ei blu. Teimlodd yr haul yn tywynnu ar ei gefn a'r awel yn chwythu drwy ei wallt trwchus. Clywodd sisial yr afon yn llifo'n rhuban glas yn y pellter. Aroglodd dyfiant yr haf yn ei ffroenau a gweld cadernid y mynyddoedd fel amddiffynfa o'i gwmpas. Safodd yn ei unfan. Ers colli ei dad nid oedd ganddo angor i'w gynnal a'i amddiffyn.

Roedd Iestyn wedi troedio i fyny'r bryn sawl gwaith ers i'w fywyd newid – newid ysgol, cartref a theulu. Doedd ei fywyd ddim 'run fath ers i'w fam gyfarfod Adrian. Roedd Adrian yn ei drin fel plentyn blwydd oed.

"Dim bai dy dad oedd o." Dyna ddywedodd ei fam-gu ar ôl clywed yr hanes. "Bai'r gyrrwr arall. Gyrru'n wirion."

Dyna roedd pawb yn ei ddweud, dweud nad oedd Dad yn haeddu colli ei fywyd.

Gyrru adref o'r gwaith roedd Dad. Cofiai Iestyn fel petai'n ddoe. Cofiai ei fam yn ateb y ffôn. Cofiai sut y newidiodd ei hwyneb ar amrantiad. Ond roedd yn rhaid iddo fod yn ddewr a sefyll ar ei draed ei hun. Teimlai mor unig ac er nad oedd wedi cyfarfod adyn byw ar y bryn hyd yn hyn, roedd cael bod yng nghwmni byd natur yn fendith iddo.

Yn sydyn, clywodd sŵn griddfan annifyr. Ni chymerodd Iestyn lawer o sylw i ddechrau ond cynyddai'r sŵn â phob cam. Trodd yn sydyn oddi ar y llwybr i gyfeiriad y graig ger ochr y ffens. Yno, yn amlwg mewn poen, roedd ci bach, a'i bawen wedi ei dal mewn drain a mieri. Yn dyner, gafaelodd yn ei goes a'i rhyddhau. Er nad oedd y clwyf yn ddrwg, tybiai Iestyn y byddai angen gofal arno. Edrychai llygaid y ci'n wag ond siglodd ei gwt unwaith yr oedd yn rhydd. Ailymunodd Iestyn â'r llwybr troed, a'r ci wrth ei gynffon.

Yn fuan, penderfynodd droi am adref. Er mor hapus yr oedd o gael cwmni, nid oedd am i'r ci grwydro, rhag ofn. Erbyn cyrraedd y gamfa teimlai Iestyn fel petai'n ei adnabod erioed. Siaradai â'r ci fel melin bupur, fel petai hwnnw'n deall bob gair. O leiaf mae'n gwrando, meddyliodd. Agorodd ei galon iddo a dywedodd y gwir wrtho. Cofiodd am addewid ei dad, sef y byddai'n cael ci bach ryw ddydd pan fyddai'n ddigon hen i ofalu amdano. Wrth gwrs, roedd yr addewid hwnnw'n angof erbyn hyn a'r geiriau'n atgof. Wrth edrych ar y cwmni ffyddlon wrth ei ochr gwawriodd ar Iestyn y byddai'n syniad iddo godi'r mater gyda'i fam ar ôl cyrraedd adref. Byddai ci bach yn siŵr o godi ei galon, yn gwmni iddo ac yn rhoi cyfle iddo ddianc o'r tŷ. Wedi'r cyfan, roedd yr ardd gefn yn lle delfrydol i gadw ci.

Erbyn hyn roedd Iestyn yn fwy sionc ei gerddediad. Roedd wedi cynllunio'r cyfan yn ei feddwl: sut y byddai'n gofyn i'w fam a phryd. Roedd hyd yn oed wedi meddwl am bob ateb posibl.

Gartref yn paratoi swper yr oedd ei fam pan hwyliodd i mewn i'r gegin yn hapusach nag arfer.

"Mam, ddes i o hyd i gi bach ar ochr Garth Mawr gynne, a llwyddo i dynnu'i bawen yn rhydd o'r drain a'r mieri. Mae o yn yr ardd gefn ar hyn o bryd. Ga i fwyd iddo?" gofynnodd Iestyn yn daer ac estyn am y bin bara.

"O, chwarae teg i ti!" atebodd ei fam mewn syndod. "Fe fydd rhaid i ti fynd â fo at yr heddlu felly, yn bydd? Alli di mo'i gadw."

Dyma 'nghyfle i, meddyliodd Iestyn. Tynnodd anadl ddofn a mentro gofyn, "Ti'n cofio Dad yn addo y bydden i'n cael ci bach pan fydden i'n hŷn? Wel, dyma'r amser perffaith, Mam."

Trodd ei fam ato – roedd ei hosgo'n dweud y cyfan. Doedd hi ddim yn hoffi siarad am dad Iestyn yng ngŵydd Adrian. Eisteddai hwnnw wrth y bwrdd, mor drwsiadus â model yng nghatalog Next. Gallai rhywun arogli ei gyfoeth.

Yn bwyllog, ymatebodd ei fam gan ddweud, "Mae cadw ci yn costio, Iestyn, a dydi arian ddim yn tyfu ar goed, cofia."

"Mi ofala i amdano ac mi waria i fy mhres poced," protestiodd Iestyn.

Yn ddirybudd, gyda'i lais awdurdodol, torrodd Adrian ar draws y sgwrs gan sôn am drafferthion cadw ci. Be wyddai o am gadw ci, meddyliodd Iestyn. Roedd ei ddwylo swyddfa'n rhy dyner i ofalu am unrhyw greadur byw.

Cynhyrfodd Iestyn wrth i'r ffraeo barhau. Roedd ei waed yn berwi. Pa hawl oedd gan yr un o'r ddau i anghofio am addewid ei dad? Edrychodd ar ei fam yn ymbilgar. Sut allai hi, o bawb, wrthod ei gynnig? Sut allai hi fod mor ddideimlad?

Y noson honno, ymddangosai fod ei gynllun wedi

mynd i'r gwellt. Bwydodd y ci a'i adael yn yr ardd ar dennyn. Gwyddai y byddai'n rhaid iddo fynd at yr heddlu fore trannoeth. Syllodd drwy ffenest ei stafell wely. Edrychai'r ci mor drist yng ngolau gwan y lleuad. Efallai ei fod mewn poen, wedi'r cwbl. Daeth ton o euogrwydd drosto. Roedd yn benderfynol o fynd â'r maen i'r wal.

Ben bore, ar ôl rhedeg i'r ardd a chael croeso mawr gan y ci bach, gwyddai Iestyn mai dyma oedd ei gyfle. Roedd ei fam ac Adrian allan am y dydd yn siopa. Gwisgodd ei gôt, estyn am ei sach gefn, ei llenwi gyda ffrwythau, gafael yn ei ffôn a gwagio ei gadw-mi-gei. Roedd ganddo ddigon o arian i brynu tocyn un ffordd.

Cyn cael amser i feddwl, roedd Iestyn a'r ci yn eistedd ar y bws naw o'r gloch o'r pentref. Teimlai'n fodlon ei fyd ac roedd y ci bach ar ei gôl yn mwynhau'r olygfa. Ni allai Iestyn feddwl pryd y bu ar daith fws ddiwethaf. Gwyddai am filfeddyg da yn Aberystwyth ond yn bwysicach fyth roedd angen cwmni arno – cwmni ei fam-gu.

Ymhen awr safai Iestyn y tu allan i 12, Stryd yr Eglwys, a gyda'i law grynedig, canodd y gloch.

"Jiw jiw, Iestyn! Shwt wyt ti, 'machgen i? O, ma 'da ti gi bach – wydden i ddim. Dere miwn. Pwy s'da ti 'te?"

gofynnodd ei fam-gu. "Gallet ti 'di ffono. Fydden i wedi dod mewn siot yn y Panda bach melyn," a chwarddodd yn uchel.

Ond gwyddai Iestyn mai prin iawn oedd ymweliadau ei fam-gu y dyddiau hyn. Yn y Panda bach aeth y tri i ymweld â'r milfeddyg yng nghanol y dref a chafodd y ci bach ei drin fel brenin. Sionciodd drwyddo a deffrôdd ei lygaid. Cafodd Iestyn brynhawn i'w gofio yn gwledda ar bice ar y maen Mam-gu, a'r menyn yn llifo ar y plât. Ni allai Iestyn gofio pryd y bu iddo chwerthin a mwynhau ei hun ddiwethaf.

Ond yn hwyr y prynhawn gwyddai fod yr anorfod am ddigwydd a dyna pryd cynigiodd ei fam-gu ei ddanfon adref. Gwelwodd. Roedd y rhwyd yn cau amdano. Byddai'n rhaid iddo ddweud y gwir. Heb feddwl, gofynnodd am gael aros noson. A dyna pryd y dechreuodd Mam-gu amau bod rhywbeth mawr o'i lc.

Torrodd yr argae. Agorodd Iestyn ei galon. Soniodd am ei fam ac Adrian yn gwrthod cyflawni addewid ei dad. Cyfaddefodd nad fe oedd berchen y ci ac fel y bu iddo fod yn Samariad trugarog ddoe yn Garth Mawr. Datgelodd fod ei fyd ar chwâl, heb gwmni a heb gariad ei dad. Roedd y cyfan wedi llifo'n rhwydd. Roedd y gwir wedi ei ddweud. Gollyngdod.

Cododd Mam-gu i'w gysuro. Gafaelodd ynddo'n dyner a'i wasgu i'w chôl. Roedd ei breichiau yn ei amddiffyn, yn angor iddo.

Ymhen hir a hwyr, cododd y ffôn a deialu.

Pwyntiau trafod

Mari Llwyd

Perthyn
Gwennan Evans

1. Cwestiwn agoriadol – wrth ddarllen y stori, ystyriwch gyda pha un o'r cymeriadau rydych chi'n cydymdeimlo fwyaf. Beth yw eich rhesymau?

2. Gweithgaredd trafod arddull. Llenwch y grid, ar ôl chwilio am enghreifftiau o'r nodweddion arddull hyn. Copïwch eich hoff enghraifft yn yr ail golofn ac esboniwch beth yw effaith hyn ar y stori.

Term	Dyfyniad	Effaith
Deialog	*"Taid? Taid? Ble y'ch chi?"*	Cyfres o gwestiynau sy'n dangos ei fod yn poeni am ei daid ac yn dechrau panicio. Mae ei agwedd tuag at ei daid yn dechrau newid.
Idiom		
Trosiad		
Cyfres o frawddegau byrion		
Cyffelybiaeth		
Tafodiaith		

3. Beth sy'n digwydd i berthynas y bachgen a'i daid yn ystod y stori? Beth yn eich barn chi oedd y trobwynt yn eu perthynas?

Nid Aur yw Popeth Melyn
Mared Lewis

1. Dylid tanlinellu pwysigrwydd lleoliad y stori hon. Tasg llithr-ddarllen – chwiliwch am gliwiau bod y stori wedi ei gosod mewn byd gwahanol i'n byd ni.
2. Trafod mewn grŵp. Beth yw neges y stori? A ydy hi'n berthnasol i'n byd ni? A allai sefyllfa debyg ddigwydd heddiw?
3. Tasg ysgrifennu ac ymateb yn greadigol. Mae'r stori wedi eu hadrodd o safbwynt Mel, ond beth oedd yn mynd trwy feddwl y bachgen o'r Glasfyd? Ysgrifennwch ei ymson.

Y Gwyliau Gwaethaf Erioed
Marlyn Samuel

1. Dylid cymharu'r stori hon gyda 'Perthyn'. Gallesid trafod y tebygrwydd a'r gwahaniaeth o ran themâu, cymeriadau, datblygiad y stori ac arddull.

2. Creu sgwrs rhwng Gareth Bale a'r bachgen, Iwan NEU gyfweliad rhwng Iwan, Taid a Gareth Bale.

Adar Rhiannon
Miriam Elin Jones

1. Cwestiwn agoriadol – mynegi barn mewn grŵp. Ym mha ffyrdd y mae pwysau ar blant a phobl ifanc i gydymffurfio a bod yn debyg i bawb arall?
2. Sut mae'r awdur yn defnyddio hiwmor i drosglwyddo neges y stori? Gwnewch restr o eiriau, sefyllfaoedd, cymeriadau, disgrifiadau neu ddeialog sy'n codi gwên.
3. Pa mor bwysig yw'r doliau Barbie fel llinyn cyswllt yn y stori?

Eos
Manon Steffan Ros

1. Pam bod rhestrau mor bwysig yn rhan gyntaf y stori?
2. Pam nad oes rhestrau ar ddiwedd y stori?
3. Defnyddir yr aderyn fel symbol o Eos. Mae'r aderyn yn gwella ac yn hedfan i ffwrdd. Yn eich barn chi, a fydd Eos yn gallu gadael ei chawell a byw yn rhydd?

Sbwriel

Jon Gower

1. Cwestiwn agoriadol – mynegi barn mewn grŵp. A ddylem groesawu ffoaduriaid i Gymru?

2. Darllenwch y pum paragraff cyntaf. Dyfalwch beth fydd yn digwydd i Abdi yng Nghasnewydd ac ysgrifennwch eich syniad ar ffurf tri pharagraff.

3. Gorffennwch ddarllen y stori. Sut mae Trevor yn llwyddo i feithrin perthynas gydag Abdi?

4. Sut mae diweddglo'r stori yn debyg i ddiweddglo 'Eos'?

5. Beth yw safbwynt yr awdur am ffoaduriaid a mewnfudo? Pa dechnegau a ddefnyddia i'n perswadio ni i gytuno gydag ef?

Snap!

Meleri Wyn James

1. Pa dechnegau a ddefnyddia'r awdur i ddisgrifio Marged a Lili-Rose? Defnyddiwch eich sgiliau llithr-ddarllen i gasglu enghreifftiau o'r disgrifiadau hyn. Ydy'r merched yn debyg neu'n wahanol i'w gilydd? Pa nodweddion sy'n cael eu pwysleisio gan y disgrifiadau

hyn? Pa ferch sy'n newid yn ystod y stori ac ym mha ffordd?

2. Defnyddia'r awdur eiriau unigol dramatig. Pa eiriau ydych chi'n credu sy'n effeithiol a pham?

3. Gwaith grŵp. Gwnewch restr o'r holl adegau y cafodd Marged ei bwlio. Rhowch y digwyddiadau yn eu trefn, gan ddechrau gyda'r mwyaf creulon. Esboniwch i'r dosbarth pam eich bod wedi dewis y drefn hon.

4. Ailadroddir y gair 'SNAP!' drwy'r stori. Pam? Ydy hyn yn effeithiol, yn eich barn chi?

Cymer Hwn!
Miriam Elin Jones

1. Mae'n bwysig bod y stori hon wedi ei hysgrifennu yn y person cyntaf. Pam?

2. Chwiliwch am enghreiffftiau o dafodiaith, bratiaith a benthyciadau o'r Saesneg yn yr iaith. A ydy'r math yma o iaith yn gweddu i'r cymeriad ac i'r stori?

3. Beth yw bwriad yr awdur? Ydy hi am i ni farnu'r prif gymeriad neu ydy hi am i ni dosturio wrthi?

4. Ysgrifennwch adroddiad papur newydd am yr achos llys.

Seren Wib

Ifan Morgan Jones

1. Cwestiwn agoriadol – mynegi barn mewn grŵp. Oes pwynt siarad Cymraeg?

2. Cyn darllen y stori, gwnewch ymchwil personol ar Blodeuwedd, Pwyll a Seithennyn.

3. Beth sy'n well gyda chi – stori realaidd neu stori gydag elfennau chwedlonol a ffug-wyddonias, fel hon? Cofiwch roi eich rhesymau.

4. Ym mha ffordd mae Elfed wedi newid erbyn diwedd y stori?

Dweud y Gwir

Erin Aled

1. Darllenwch y paragraff cyntaf ac ystyriwch y defnydd a wna'r awdur o'r synhwyrau. Rydyn ni'n gweld, yn teimlo, yn clywed ac yn arogli'r olygfa. Gallwn ddychmygu ein bod yno gyda Iestyn. Ysgrifennwch chi ddisgrifiad byr o leoliad arbennig, gan ddefnyddio'r un technegau a gwneud defnydd effeithiol o'r synhwyrau.

2. Darllenwch weddill y stori gan nodi'r emosiynau gwahanol a deimla Iestyn. Sawl emosiwn gwahanol y gallwch chi eu henwi?

3. Mae diweddglo penagored i'r stori. Dydyn ni ddim yn gwybod pwy sy'n ffonio pwy. Beth yw eich barn chi? Ysgrifennwch sgwrs ffôn fer i greu diweddglo gwahanol.

FI A JOE ALLEN

Manon Steffan Ros

y Lolfa

£5.99

"Chawn ni ddim siarad am Hywel. Ddim ar ôl be ddigwyddodd."

PLUEN

Manon Steffan Ros

y Lolfa

£5.99

pen dafad

Alffi

Strach a helynt a PHOB DIM yn mynd o chwith!

M.C
xx

Mared Lewis

£3.95

Am restr gyflawn o lyfrau'r Lolfa, mynnwch
gopi am ddim o'n catalog
neu hwyliwch i mewn i'n gwefan

www.ylolfa.com

lle gallwch archebu llyfrau ar-lein.

y Lolfa

TALYBONT CEREDIGION CYMRU SY24 5HE
ebost ylolfa@ylolfa.com
gwefan www.ylolfa.com
ffôn 01970 832 304
ffacs 832 782

Argraffwyd gan Y Lolfa
Holwch am bris